《연연당문고 부록》

善亭先生書畫集

보정선생 서화집

※ 본 보정 선생 서화집은 고창군의 《2019 고창 전통문화프로그램 발굴 기초조사》(전북대학교 산학협력단의 『보정 김정회 선생의 시화작품 및 고창 서화세계조명』에서 발췌한 것임.

題字 | 보정 선생 둘째 손부 아당 정연숙 (雅堂 鄭淵淑) 씀

보정선생서화집

목차

I. 고창이 낳은 서화가, 보정 김정회

1. 보정 김정회 선생의 생애와 학문 ·········· 6
2. 보정 김정회의 스승, 해강 김규진 ·········· 10

II. 보정 김정회의 작품세계

1. 보정의 미의식과 문인화 ·········· 18
2. 보정과 난초 ·········· 20
3. 보정과 대나무 ·········· 60
4. 기타 유묵 ·········· 148

III. 에필로그

1. 들어가기 ·········· 178
2. 보정의 일생과 격변의 근대기 ·········· 179
3. 보정의 학문과 철학사상 ·········· 193
4. 보정의 서화 예술세계 ·········· 195
5. 나가기 ·········· 201

IV. 부록

1. 그림 목차 ·········· 204
2. 표 목차 ·········· 209
3. 보정 김정회 작품 소장 현황 ·········· 209

I
고창이 낳은 서화가, 보정 김정회

1. 보정 김정회 선생의 생애와 학문
2. 보정 김정회의 스승, 해강 김규진

1. 보정 김정회 선생의 일생과 학문

보정 김정회(1903~1970)

보정(普亭) 김정회(金正會) 선생(서기 1903~1970)은 호남의 영산(靈山)인 방장산(方丈山)기슭의 전북 고창군 고창읍 도산리(道山里)에서 서기 1903년 10월 28일에 태어났다. 자(字)는 중립(中立), 호(號)는 보정(普亭), 연연당(淵淵堂) 또는 연당(淵堂)이며 본관은 안동(安東)이다. 슬하에 4남 4녀를 두었다.

선생은 안동세가(安東世家)로 위로는 조선조 개국공신 익원공(翼元公) 김사형(金士衡)이며, 14세조에 영모당(永慕堂) 김질(金質)과 증조부(曾祖父)는 만수당(晩睡堂) 김영철(金榮喆), 부친(父親)은 회천(晦泉) 김재종(金在鍾)이다. 어려서부터 종조(從祖)인 항재(恒齋) 김순묵(金純黙)에게 글을 배운 후, 송사(松沙) 기우만(奇宇萬)의 학통(學統)을 이으며 경서(經書)에 통달하였으며, 한일강제병탄으로 나라를 잃은 울분을 달래면서, 우리가 힘이 없어 나라를 빼앗겼으니, 힘을 기르기 위해서는 새로운 학문을 받아들여야 되찾을 수 있다는 꿈을 안고, 서기 1929년 27세에 서울에 올라와, 서기 1931년 29세에 전라북도의 유생(儒生) 대표로 유일하게 선발되어 성균관대학의 전신(前身)인 명륜전문학원에 입학하여 신구(新舊)의 학문을 두루 섭렵하고, 전국에서 모인 석학(碩學)들과 학문에 대한 토론을 벌였다. 또한 당시 청조(淸朝)에서 성행하던 북학(北學)을 주로 연구하였다.

서기 1931년에는 서화가(書畵家) 해강(海岡) 김규진(金圭鎭)의 문하생이 되었다.
김규진(金圭鎭)은 당시 중국에 유학하여, 대륙적인 필력(筆力)과 호방한 서화(書畵)를 배우고 돌아와 명성을 떨치면서 왕실에 출입하며 영친왕(英親王)에게 서화(書畵)를 가르치면서 "해강 서화연구회"를 운영하며 서화(書畵)를 지도하던 때였다. 보정(普亭)선생은 김규진(金圭鎭)의 문하에서 글씨와 그림을 배워 "문자향(文字香) 서권기(書卷氣)" 즉, 학문적 수양의 결과로 나타나는 고결한 품격이 서려있는 문인화(文人畵)를 잘 그려 일가(一家)를 이루었다.
이 무렵 서기 1938년 3월 일본에서 권위있는 일본서화전(日本書畵展)에 풍죽(風竹)을 출품하여 특선을 수상함으로써, 높은 선비정신이 담긴 풍죽화(風竹畵)를 선보여

일본은 물론 국내 서화계(書畫界)에 신선한 충격을 주었다.

 선생은 또한 고향에서는 조국의 독립을 위해서는 새로운 서구(西歐)의 문물을 받아들여야 선진(先進)대열에 오를 수 있고 나라도 되찾을 수 있다는 신념을 가지고, 서기 1934년 갑술년 5월 2일에는 〈도산보통학교〉를 설립하는데 많은 토지를 희사하였고, 교사(校舍)를 신축하는 동안 증조고 정사(精舍)인 만수당에서 본교 입학식을 갖고 1년 동안 수업을 진행하는데 협조하였다. 그 후 서기 1938년 12월 10일 겨울 부친상(父親喪)을 당하자 부친의 유지를 받들어 선대의 사당(祠堂)인 경선재(敬先齋)와 만수당(晩睡堂)의 묘각(墓閣)인 양지재(養志齋)를 세우고 제전(祭田)을 마련하였으며, 영모당(永慕堂)을 배향(配享)한 도암사(道巖祠)의 제전(祭田)도 마련하였다. 그리고 나의환(羅毅煥) 등과 함께 사숙(私淑)하는 기우만(奇宇萬)의 연보(年譜)를 작성하였고, 또 만수당(晩睡堂) 왼편에 회천정사(晦泉精舍)를 지어 선대(先代)의 유업(遺業)을 이어갔다.

 서기 1941년 신사년(辛巳年)에는 성균관의 경학원(經學院) 강사(講師)에 선임되어 후진교육에도 힘썼으며, 그 무렵 우리나라의 젊은 지식인들을 뽑아 일본유람을 시킬 때, 그는 일본에 건너가 당시 일본의 사정과 서양문화 수입의 양상을 관찰하고자 일본유람에 동참하였다. 그때 그는 일본에서 〈海國風光 崔勝頭〉(해국풍광 최승두)〈섬나라 풍광이 으뜸이로다.〉라는 시(詩)를 짓자, 일인(日人)이 이를 보고 海(해)자를 〈內(내)〉자(字)로 고치라고 요청했다. 이는 일본이 조그만 섬나라로 주변국이 아닌 중심인 나라.곧 내국(內國)임을 나타내기 위한 속셈이었다. 그러나 보정(普亭)선생은 정색(正色)을 하고 단호히 거절했다. 그 때 그가 지은 촌철살인(寸鐵殺人)의 이 풍자시가 동아일보에 발표되자, 국내의 많은 유학자들이 모두 음송(吟誦)하며 그의 높은 지기(志氣)를 장하게 여기고 칭송했다.

 태평양전쟁 중 일제(日帝)는 그에게 '유도(儒道)를 진작(振作)'시키는 순회강연을 강요하기도 했으나, 말이 유도(儒道)의 진작(振作)이지 실은 진충보국(盡忠輔國)이 란 허울 좋은 미명(美名)아래, 학도병지원과 징용을 독려하는 것이었다. 그리하여 그는 일제(日帝)의 요청을 완강히 거절하고, 벗들과 더불어 20일간의 금강산 기행(紀行)을 훌쩍 떠났다. 금강산에 들러 비로봉, 명경대, 연화담, 만폭동, 옥류동, 만물상, 해금강 등 금강산 일대를 모두 유람하고 20여 편의 주옥(珠玉)같은 명시(名詩)들을 남겼으며, 또한 집안에 있는 수정(水亭) 옆에 연못을 만들어 연(蓮)을 심어 감상하며, 차를 마시고 거문고를 뜯으며 시(詩)를 읊고, 명사(名士)들과 더불어 시회(詩會)를 열고 고담준론(高談峻論)으로 암울한 시절의 울분을 달래었다. 그 때 지은 "수정상련(水亭賞連)"이라는 시(詩) 한편을 소개한다.

  課日登亭數蓮朶(과일등정수연타)
  날마다 정자(亭子)에 오르니 연봉오리 촘촘하고,
  半開猶少未開多(반개유소미개다)
  반쯤 핀 봉우리는 적고 피지 않은 것이 많구나.
  小峯大峯層層出(소봉대봉층층출)
  크고 작은 봉우리들이 층층이 나오니,
  半畝方塘都是花(반묘방당도시화)
  반무(半畝)쯤 되는 네모진 연못에 온통 연꽃이로다.

                ※ 반무(半畝): 50평

 이 시(詩)에서 느끼듯 보정(普亭) 선생은 세속(世俗)에 타협하지 않고 부귀영화를 멀리하며, 자연과 벗하여 청유(淸遊)를 즐기면서 많은 시를 남겼다.
 그의 교우(交友)로는 고당(顧堂) 김규태, 효당(曉堂) 김문옥, 송농(松儂) 이동범, 담재(澹齋) 김봉문 등, 당시 호남(湖南)의 최고 명사(名士)들로서, 모두 신구(新舊)의 학문을 겸비한 지성인으로써, 요즘으로 치면 국립서울대 출신들이었다. 그들은 일제암흑기에 묵묵히 지방교육에 힘쓰며 헌신하는 학자이자 예술인들로써, 시문(詩文)과 서화(書畫)를 서로 나누며 명산대천을 찾아 청유(淸遊)를 즐기고 경천애민(敬天愛民)하는 정신으로 유유히 살았던 것이다.

 서기 1945년 광복 후 한가위 날에 차례(茶禮)를 마치고, 보정(普亭)선생은 수십 명의 소작인들을 모두 불러 모아, 주연(酒宴)을 베풀고 즉흥 시(詩) 한 수를 지어 읊었다.

  皆爲自由平等何 上下階級之有哉.(개위자유평등하 상하계급지유재)
  이제 모두가 자유롭고 평등한 세상이 되었는데, 어찌 상하의 계급이
  있겠는가!

시를 읊은 후 선생은 모두 술을 들게 하고는, 소작인 각자가 경작하던 전답을 나누어 주었다. 그 후 서해의 절해고도(絶海孤島) 상왕등도에 들어가 한적하게 금서(琴書)를 벗하며 은거하다가 조모(祖母)의 상(喪)을 당하자 귀향(歸鄕)하였다.

한때는 서울에 올라가 인촌(仁村) 김성수, 근촌(芹村) 백관수, 몽양(夢陽) 여운형 등과 교유(交遊)하며 백범(白凡) 김구(金九)선생의 환영회 준비를 함께 하기도 하였다. 그러나 남북이 분단되고 민족이 분열되어 골육상잔(骨肉相殘)의 비극이 일어날 징조가 보이자 크게 실망하고 미련 없이 귀향하여 은거(隱居)하자, 여러 차례 정부(政府)의 출사(出仕) 권유가 있었으나 모두 사양하고 나가지 않았다. 오로지 만감(萬感)의 심정을 붓으로 달래면서 서기 1956년 국전(國展)에 서화(書畵)를 출품해 입선하였으나, 국전(國展)에서조차 비리(非理)에 오염된 모습에 환멸(幻滅)을 느껴 이후로는 일체 참여하지 않고, 문우(文友)들과 교유하며 청유(淸遊)를 즐기다가, 서기 1970년 68세를 일기로 세상을 떠났다. 장례는 고창 문인장(文人葬)으로 성대히 치러졌고, 현당(玄堂)은 전남 장성(長城)에 있는 선영(先塋)에 곤좌(坤坐)로 마련되었다.

보정(普亭)선생도 선대(先代)들처럼 빈민구제에도 힘을 써, 춘궁기에 굶주리는 마을 사람들과 이웃동네 사람들까지 수많이 구제하였다.

특히 서기 1939년 37세 때, 큰 흉년이 들자 곳간 문을 활짝 열어 굶주리는 사람들을 널리 구제하자, 인근 마을에서는 송덕비(頌德碑)를 세워 선생의 덕행(德行)을 기렸다. 광복 후에는 고창여자중학교 설립에 많은 토지를 희사하였으며, 돌아가시던 해까지 동교 재단이사로 재직하기도 하였다. 그의 사후 서기 1973년에는 친척과 사우(士友)들이 만수당(晩睡堂)〈도산서당〉 입구에 경모비(景慕碑)를 세웠다. 그리고 저서(著書)인 유고문집(遺稿文集)〈연연당문고(淵淵堂文稿)〉 10권이 서기 1978년에 간행되었다.

2. 보정 김정회의 스승, 해강 김규진

(1) 해강의 일생과 작품세계

① 해강의 일생
- 해강 김규진(海岡 金奎鎭 : 서기 1868~1933)은 본관이 남평(南平)으로 자는 용삼(容三), 호는 해강 또는 백운거사(白雲居士), 취옹(醉翁), 만이천봉주인(萬二千峰主人), 동해어부(東海漁夫), 삼각산인(三角山人), 수정도인(守靜道人), 지공학인(至空學人), 석전경수(石田耕叟), 청허재주인(淸虛齋主人), 무기옹(無己翁), 포옹(圃翁), 동교(東橋)임
- 평안남도 중화군 상원면 가난한 농부집안에서 태어남
- 7세부터 외숙 소남(少南) 이희수(李喜秀 : 서기 1836~1909)에게 10여 년간 한학(漢學)과 서화(書畵)를 배움
- 서기 1885년 외숙 이희수의 권유로 청(淸)으로 유학을 떠남
- 서기 1886년(19세) 북경(北京)에 도착하여 서화(書畵)를 팔아 여행경비를 마련한 뒤 중국 각 지역을 유람하다가 서기 1894년(27세) 청일전쟁이 임박했다는 소문을 듣고 민영익(閔泳翊)의 동생 민영선(閔泳善)과 함께 귀국함
- 청(淸)에서 돌아온 후, 서기 1896년에 궁내부 외사과 주사로 관리생활을 시작해 내장원 주사, 예식원 주사 및 문서과장, 제도국참서관, 시종원시종, 경리원기사 등 10년이 넘도록 관직을 맡아 수행함
- 고향에 돌아온 후 민영선(閔泳善)의 천거로 상경하여 관직생활을 시작하여 영친왕(英親王 : 서기 1897~1970)의 서사(書師)가 되고, 순종(純宗)에게도 글과 난초를 가르침
- 일본에서 사진술을 배워 어전사진사(御前寫眞師)가 됨
- 서기 1906년 영친왕이 일본에 납치되고 서기 1907년 고종이 '헤이그특사' 사건과 관련하여 강제 퇴위를 맞으면서 해강 역시 해임을 당해 관직생활을 마감하며 서화활동에 전념할 결심을 함
- 관직에서 물어난 후 해강은 서화가로서의 활동뿐만 아니라 적극적인 사회 예술

활동을 펼치게 됨
- 서기 1907년 영친왕을 가르친 공으로 2층 건물을 하사받아 상업사진관인 천연당사진관(天然堂寫眞館)을 개업, 일반 대중들도 사진을 찍을 수 있도록 하여 사진의 대중화를 위해 노력하며 후학을 양성함
- 여성층 고객을 확보하기 위해 '향원당'이라는 여성 전속 사진사를 두기도 하였으며 사진의 영구성에 착안하여 영구불변색사진을 내세운 영업방침을 일반에게 알리는 등, 기술 향상에 온힘을 기울임
- 서기 1913년 우리나라 최초의 화랑인 고금서화관이라는 상업 화랑을 사진관 내에 부설하였는데, 당시 『매일신보(每日申報)』 12월 12일의 기사에서 해당 기록을 확인할 수 있음
- 서기 1915년 3년제 교육과정을 둔 서화연구회를 독자적으로 창립하여 후진양성에 전력을 기울임
- 서기 1918년(51세) 서화미술회의 교수진들과 고희동(高羲東) 등 당대 서화계 대표자 13인이 최초의 근대적 미술단체인 서화협회를 창립함
- 서기 1919년 서화협회를 탈퇴한 해강은 바로 12월에 서화연구회 주최로 대규모 서화 전람회를 개최하였으며, 이후에도 각종 전람회 및 휘호회 활동을 활발하게 이어나감
- 서기 1920년 순종의 명을 받아 3개월간 금강산을 그리고 희정당(熙政堂) 벽에 금강만물초승경(金剛萬物肖勝景)과 해금강(海金剛) 총석정(叢石亭)을 제작하는 등 왕성한 서화 활동을 함
- 규모가 커진 서화연구회에 힘입어 각종 휘호회 및 전람회를 개최하여 더욱 서화 보급에 힘씀
- 해강의 서화연구회 활동은 서기 1930년까지 계속되었으나 1931년이 되면서 장소를 수송동 김규진의 자택으로 옮기게 될 정도로 점점 서화연구회의 규모가 줄고 한동안 운영이 중단되기도 하였음
- 이후 서화연구회의 주체였던 김규진이 서기 1930년 교통사고를 당하면서 운신이 어려워져 실질적인 서화연구회 운영이 이루어지지 못하였고, 김규진은 서기 1933년 66세의 나이로 생을 마감함

② **해강의 작품세계**
- 해강은 18세 때 청나라에 유학하여 서화 명적을 연구하여, 오체(전·예·해·행·초)에 두루 능하였을 뿐만 아니라 산수화와 화조화도 잘 그렸으며 난죽을 비롯한

사군자에 뛰어났음
- 해강의 글씨는 원나라 조맹부(趙孟頫)와 청나라 성친왕(成親王)의 서풍을 연구하여 자기 예술로 승화시켰다는 특색을 지님
- 오창석(吳昌碩) 문인(門人)의 한사람인 서성주(徐星洲)와 교유하여 전각(篆刻)을 받아오는 등 서화예술의 다방면에 조예를 보임
- 해강은 조선 말기에서 근대로 넘어가는 교두보적 역할을 한 서화가로서 사군자·괴석·화훼·영모·산수 등 다양한 화목을 제작함과 동시에 기복적인 성향의 작품들을 다수 제작하였음
- 이러한 제작방식은 수요자의 미감에 따른 다양한 형태의 작품을 제작한 것이라고 볼 수 있으며, 당시 화단에서 유행하던 구성방식을 절충하여 작품을 제작하는 등 작품 가운데 사실적인 요소가 곳곳에 드러나고 있음
- 필묵법에 있어서는 먹의 농담변화가 다양함이 관찰됨. 이러한 발묵과 파묵의 사용은 서기 1914년 작 『여산비폭도(廬山飛瀑圖)』에서 절정에 이르고 있으며 구도에 있어서도 이전과는 새로운 방식이 나타나고 있음
- 서기 1915년경 난죽화를 전문으로 그리기 시작하였는데, 해강의 작품에 나타나는 난죽의 상징성은 군자적인 것뿐만 아니라 문인적 아취나 '장수(長壽)'와 같은 길상적 의미가 공존함
- 묵죽화에 비해 묵란화의 제작은 드문 편이지만 다양한 난의 형태와 구도, 다른 경물과의 결합, 능숙하면서도 속도감 있는 빠른 필치로 먹의 농담과 건습의 대비가 더욱 뚜렷하며 조화를 이루는 자신감 있는 필묵 등이 특징으로 손꼽힘

〈해강 김규진 관련 선행연구〉

[연대표시 : 서기]

연번	저자	제목	연도	소속	구분
1	유정혜	海岡 金圭鎭의 生涯와 藝術	1978	홍익대학교	국내 석사
2	심현정	한국 화랑의 역사에 관한 연구: 1910-1970년대를 중심으로	1997	경희대학교	국내 석사
3	진복규	海岡 金圭鎭의 扁額書에 대한 考察	1999	경주대학교대학원 문화재학과	국내 석사
4	이기범	海岡 金圭鎭의 書藝: 書論을 中心으로	1999	東國大學校 敎育大學院	국내 석사

5	권경숙	海岡의 金剛遊覽歌 硏究	2003	동아대학교	국내 석사
6	성재현	海岡 金圭鎭의 作品世界와 社會活動 硏究	2003	弘益大學校 大學院	국내 석사
7	서성혁	海岡 金圭鎭(1868~1933)의 繪畵 硏究	2009	고려대학교 대학원	국내 석사
8	陳卜圭	海岡 金圭鎭의 扁額書에 대한 考察	2001	서예학연구	국내 학술지
9	김소연	金圭鎭『海岡日記』	2003	美術史論壇	국내 학술지
10	최인진	서화가 해강 김규진의 사진활동 연구	2005	한국근현대미술사학	국내 학술지
11	이성혜	20세기 초, 한국 서화가의 존재 방식과 양상 - 해강 김규진의 서화 활동을 중심으로	2009	동양한문학연구	국내 학술지
12	이성혜	서화가 김규진(金圭鎭)의 작품 활동과 수입	2009	東方漢文學	국내 학술지
13	이영수	20세기 초 李王家 관련 金剛山圖 硏究	2011	美術史學硏究	국내 학술지
14	황 인	충무로와 해강 김규진의 후예들	2018	월간 샘터	국내 학술지
15	김소연	해강 김규진 묵죽화와『해강죽보(海岡竹譜)』연구	2019	美術史學報	국내 학술지
16	김영기	金海岡遺墨	1980	友一出版社	국내 저서
17	김규진	(蘭譜 竹譜)海岡水墨畵	1991	翰林出版社	국내 저서
18	박종기	천연당사진관 개관 100주년 기념 : 해강 김규진 선생의 천연당사진관 (1907.8.17 개관)	2007	한미사진미술관	국내 저서
19	최인진	해강 김규진과 천연당 사진관	2014	아라	국내 저서

③ 해강과 서화연구회

- 해강 김규진은 우리나라 최초의 미술단체인 「서화협회」의 회원이었음. 이들은 "조선의 서화가를 망라하여 신구 서화의 발전을 도모하고, 동서 미술을 연구하며 후진을 양성한다"는 명분하에 6월 16일, 장교정(서울특별시 중구 장교동) 8번지에서 창립총회를 가짐
- 또한 해강은 창덕궁 내전의 벽화인 「금강산도」를 그린 작가로서 서기 1920년 9월 말, 대조전 앞의 희정당 안에 대폭 「금강산도」를 완성함
- 서기 1922년 6월 1일, 총독부는 제1회 「조선미술전람회」를 영락정(현재 저동)에서 개최하였는데 이때 해강은 심사위원 중 한 사람으로서 「묵죽」, 「월송폭포(2점)」 등을 출품함
- 중국 유학에서 돌아와 왕실에 출입하면서 서화 요청에 응하는 한편 영친왕에게 글씨를 가르쳤는데, 고종(高宗)의 명을 받아 일본 동경으로 건너가 사진기술을 배워와 한국 사람으로는 최초로 천연동(天然洞) 98번지(현 중구 소공동)에 「천연당」 사진관을 연인물이기도 함
- 해강은 「천연당」 사진관 안에 다시 「고금서화관」이라는 상업미술관을 부설하여 표구 주문까지 받았는데, 즉 「고금서화관」은 개화기에 서화가가 착안한 사진·서화·표구를 겸한 종합적인 화랑이었음
- 서기 1915년 7월에는 여기에 「해강서화연구회」라는 또 하나의 새로운 간판을 내걸고 귀족과 서화에 뜻있는 사람의 자제들을 제자로 받아들여 지도함
- 학생들을 가르치는 교본으로 「서법진결(書法眞訣)」, 「난죽보(蘭竹譜)」, 「육체필론(六體筆論)」을 사용하였고, 서기 1917년 초에 신년시필회(新年試筆會)라는 이름으로 장춘관(長春館)에서 많은 인사를 초빙하여 석상휘호회(席上揮毫會)를 열고 전람회까지 열게 됨
- 『해강난죽보(海剛蘭竹譜)』는 김규진이 서기 1916년 3월 출판한 개인 화보로서, 이를 통해 명실공히 사군자 화가로서의 입지를 다지게 됨
- 묵죽보(墨竹譜) 중 「묵죽원류」에서 당 오도자로부터 시작된 묵죽화의 역사와 사죽론(寫竹論)을 죽간, 죽절, 가지와 잎사귀의 순서로 간략히 설명하고 있으며, 죽간과 죽엽을 그리는 방법 등을 도식(圖式)을 통해 제시하고 있음
- 당시 유명한 서화가였던 백송(白松) 지창한(池昌翰 : 서기 1851~1921)의 뒤를 이어 「매일신보(每日申報)」에 「서화담(書畵談)」을 150회 연재함
- 해강 김규진은 우리나라 서화계의 제도적인 질서를 확립하는데 앞장섰으며, 「해

강난죽보(海剛蘭竹譜)」를 만들어 후진 양성에 힘쓴 입지전적 인물임

「월하죽림도(月下竹林圖)」 - 해강 김규진 作
(출처: 아모레퍼시픽미술관)

「총석정 절경도」 - 해강 김규진 作
(출처: 한국민족문화대백과사전)

II
보정 김정회의 작품세계

1. 보정의 미의식과 문인화
2. 보정과 난초
3. 보정과 대나무
4. 기타 유묵

연대표시 : 서기

1. 보정의 미의식과 문인화

(1) 보정 김정회의 미(美)에 대한 관념

- 보정(普亭)은 절승지(絕勝地)에 대한 각별한 애착으로 풍영계(風詠契), 상영계(觴詠契)를 만들어 명산대천(名山大川)을 유람하며 시(詩)를 읊었음
- 그러나 보정은 또한 진정한 아름다움과 관념(觀念)의 향기는 절승지(絕勝地)에만 있는 것이 아니라 인륜도덕(人倫道德)에서 우러나는 덕향(德香)이 충만한 가정(家庭)에 있음을 역설하였음
- 보정(普亭)은 효제(孝悌)와 인의(仁義)의 덕향(德香)을 최고의 덕목(德目)으로 생각하여 시문(詩文)과 서화(書畫) 곳곳에 표출하였음

(2) 보정 김정회의 문인화(文人畫)

- 동양회화의 역사적 맥락은 문자의 시작이 그림의 형상에 기원을 두고 있으므로 서화동원(書畫同源), 서화일치(書畫一致)라 보는 시각이 매우 강함
- 전통적으로 문인 사대부들이 그린 그림은 문인화(文人畫)라 하여 직업 화가들이 그린 직인화(職人畫)와는 엄격하게 구별하였음
- 문인 사대부들은 전문 기교의 형사(形寫)를 따르지 않고, 서권기(書卷氣)를 담고 있으면서도 사의(寫意) 정신을 표출하는 것을 중요하게 여겼음
- 옛 선비들은 '글씨는 그 사람이다(書如其人)'라는 인식을 바탕으로 글씨가 비뚤어지거나 균형 잡히지 못한 경우, 마음의수양이 제대로 이루어지지 못한 반증으로 여겼음
- 특히 제화시(題畫詩)의 경우, 그림과 글씨가 합쳐져 있는 다소 특수한 형태로 서양에서는 찾아보기 힘든 동양 고유의 예술 형식임
- 보정(普亭)은 해강 김규진(海岡 金圭鎭)의 문하에서 서화(書畫) 사상을 깊이 체득하여 글씨와 문인화(文人畫)에 심혈을 기울이게 됨
- 그의 서화(書畫) 스승 해강(海岡)은 중국 유학(留學) 과정에서 체득(體得)한 청조(淸朝)의 문화와 서화에 대해 강의하면서 제자들에게 늘 "문화의 발전이 국가발전의 원동력이 된다"는 지론(地論)을 강조하였음
- 보정(普亭) 역시 해강(海岡)의 지론(持論)에 깊은 감명을 받아 시(詩)를 짓고 문인

화(文人畵)를 그리면서도 그림이란 단순히 어떤 물체를 묘사하는 것이 아니라, 작가(作家)의 수신(修身)과 청정무구한 정신을 전달하는 수단으로 생각하고 많은 작품을 남기게 됨
- 특히 보정의 「풍죽(風竹)」은 스승인 해강(海岡)으로부터 "당대제일(當代第一)"이라는 칭송을 받음
- 이처럼 보정(普亭)은 글씨를 쓰거나 그림을 그릴 때 사물의 외형에 치우치지 않고, 내면의 심적(心的) 상태가 붓을 통하여 표출되어 감동을 자아낼 수 있을 때 비로소 진정한 예술이 탄생할 수 있다고 보았음

2. 보정과 난초

01

보정 김정회(普亭 金正會: 1903-1970)
난죽석도 10곡병(Ⅰ)_01
종이에 먹
33 × 125.5

昨從九畹*過, 見有數枝蘭.

今朝難記憶, 寫箇蟹形看.

普亭

어제 구원(九畹)의 난초 밭을 지나왔는데
몇 줄기의 난초가 피어 있었네.
오늘 아침에야 어렵사리 기억을 더듬어
게의 형상 같은 모습을 그려 보았네.

보정

*九畹(구원): 본래 '畹(원)'은 30畝를 뜻하는 밭 면적 단위이다. 그러나 굴원(屈原)이 「이소(離騷)」에서 "나는 이미 난초를 구원 크기의 땅에 심었고, 또 혜초를 백묘 크기의 땅에 심었다네.(余旣滋蘭之九畹兮, 又樹蕙之百畝.)"라고 한 이후 '九畹(구원)'은 난초를 심은 곳을 뜻하는 전고가 되었다.

02

보정 김정회(普亭 金正會: 1903-1970)
난죽석도 10곡병(Ⅰ)_03
종이에 먹
33 x 125.5

芝蘭生於幽谷無人亦芳,
此如君子遯世不見知而無憫.
普亭

지초와 난초는 깊은 골짜기에 피어
보는 이 없어도 향기를 피우나니
이 모습 은둔하며 알아주지 않더라도 걱정하지 않는
군자(君子)와 같구나.
보정

03

보정 김정회(普亭 金正會: 1903-1970)
난죽석도 10곡병(Ⅰ)_05
종이에 먹
33 x 125.5

春雨春風洗妙顏, 一辭瓊島*在人間.
如今究竟無知己, 打破烏盆更入山.
普亭

봄비와 봄바람에 씻은 아리따운 얼굴
선도(仙島)에 피어나길 사양하고서
인간 세상에 피어났건만.
지금도 끝내 나를 알아주는 벗이 없으니
오분(烏盆) 깨뜨려 버리고 산으로 들어가 살리라.
보정

*청나라 때 시서화 삼절로 잘 알려진 정섭(鄭燮:1693-1765)이 지은 「난초 화분을 깨뜨려 버리고(破盆蘭花)」라는 시로 그 원문은 다음과 같다. "春雨春風洗妙顏, 一辭瓊島到人間. 而今究竟無知己, 打破烏盆更入山." 시 가운데 瓊島(경도)는 전설 속 선인(仙人)들이 산다는 섬을 가리킨다.

04

보정 김정회(普亭 金正會: 1903-1970)
난죽석도 10곡병(Ⅰ)_07
종이에 먹
33 x 125.5

山谷云: 蘭似君子, 蕙似士大夫,

大葉*山林十蕙而一蘭也.

普亭

산곡(山谷: 황정견)이 말하였다.

난초는 군자와 같고, 혜초는 사대부와 같으니,

대개 산림에 혜초 열이 있으면 난초는 하나뿐이다.

보정

---

*葉(엽): 응당 '槪(개)'라 해야 함. 보정 선생이 인용한 황정견(黃庭堅)의 「서유방정기(書幽芳亭記)」 원문은 "蓋蘭似君子, 蕙似士大夫, 大槪山林中十蕙而一蘭也."이다. 이에 번역은 「서유방정기(書幽芳亭記)」 원문을 따라 하였다.

05

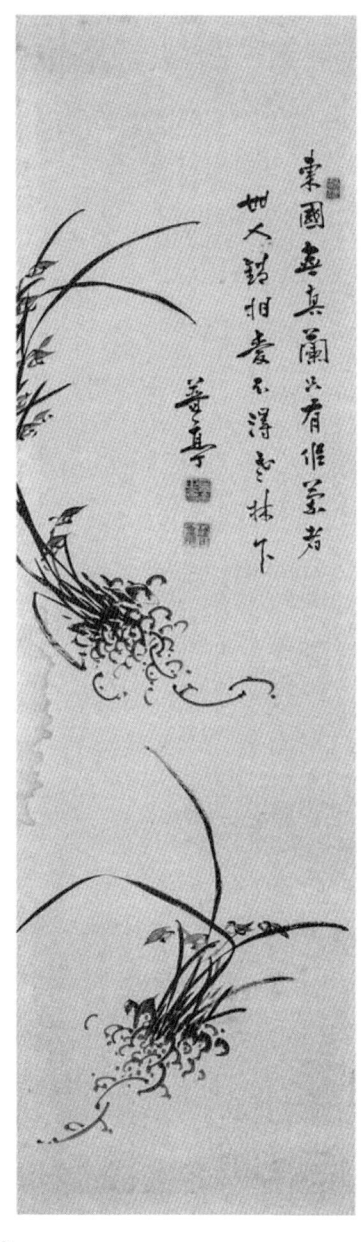

보정 김정회(普亭 金正會: 1903-1970)
난죽석도 10곡병(Ⅰ)_09
종이에 먹
33 x 125.5

東國無眞蘭, 只有似蘭者.
世人錯相愛, 不得老林下.
普亭

우리나라에 진짜 난초는 없으니
단지 난초와 비슷한 것만 있네.
세상 사람들 그것을 난초로 착각하여 사랑하네,
진짜 난초는 깊은 산속에서도 얻을 수 없기에.
보정

*일제강점기 민속학자 이능화(1869-1943)가 1918년에 출판한 『조선불교통사(朝鮮佛教通史)』에 다음과 같은 구절이 보인다. 「지초는 빼어나고 난초는 향기로우니, 세상 사람들이 반드시 이 둘을 '지초'라 병칭한다. 그러나 우리나라에서는 지초를 캘 수 없을 뿐만 아니라 난초 역시 볼 수 없다. 이 때문에 근세에 유업에 종사하는 이양연(호는 임연당)이 지은 시에 "우리나라에 진짜 난초는 없으니 단지 난초와 비슷한 것만 있네. 세상 사람들 그것을 난초로 착각하여 사랑하네, 진짜 난초는 깊은 산속에서도 얻을 수 없기에."라고 한 것이다.(芝秀蘭芳, 世必幷稱. 而我海東, 非徒芝不可採, 蘭亦不可見. 所以, 近世儒業李亮淵(號臨淵堂)有詩曰: "東土無真蘭, 只有似蘭者. 世人錯相愛, 不得老林下.")」

06

보정 김정회(普亭 金正會: 1903-1970)
난죽석도 10곡병(Ⅱ)_01
종이에 먹
33 x 125.5

春雨春風洗妙顏, 一辭瓊島在人間.
如今究竟無知己, 打破烏盆更入山.
普亭

봄비와 봄바람에 씻은 아리따운 얼굴
선도(仙島)에 피어나길 사양하고서
인간 세상에 피어났건만.
지금도 끝내 나를 알아주는 벗이 없으니
오분(烏盆) 깨뜨려 버리고 산으로 들어가 살리라.
보정

07

보정 김정회(普亭 金正會: 1903-1970)
난죽석도 10곡병(II)_03
종이에 먹
33 x 125.5

芝蘭生於幽谷, 不以無人不芳.
君子修道立德, 不以困窮而改節.
普亭

지초와 난초는 깊은 골짜기에 피어
사람이 없다고 해서 향기를 거두지 않는다.
군자가 도를 닦고 덕을 세움에 있어서도
곤궁하다고 해서 절개를 고치지 않는다.
보정

08

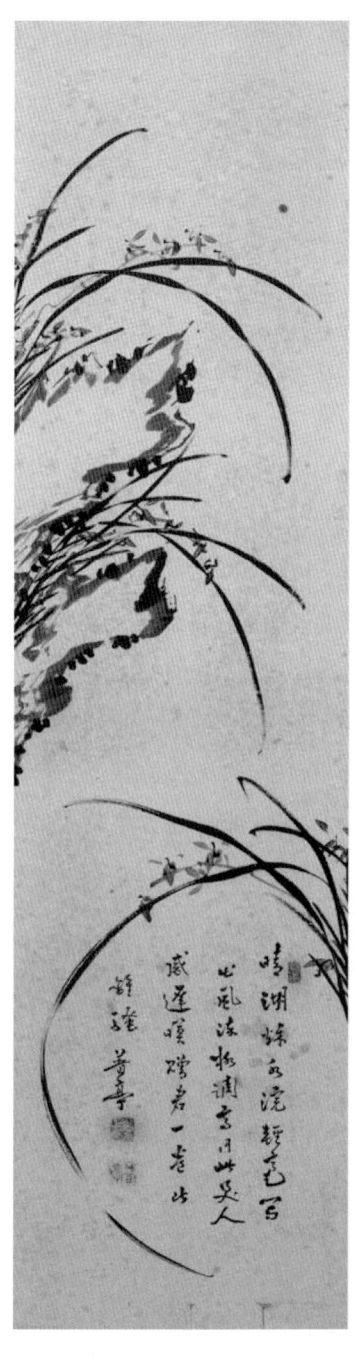

보정 김정회(普亭 金正會: 1903-1970)
난죽석도 10곡병(II)_05
종이에 먹
33 x 125.5

晴湖秋水浣, 經毫寫出風流格調.
高呵此笑人感遲暮, 贈君一卷卽離騷.
普亭

맑게 갠 호수 가을물 깨끗한데
붓을 거치고 보니 풍류와 격조를 그려내게 되었네.
껄껄 웃는 이 사람 (스스로) 나이 들었음을 느끼나니
그대에게 한 권의 책 드리니 그건 바로
『이소(離騷)』일세.*
보정

*이 제화시는 작자 스스로 나이가 들어 더 이상 난초를 즐길 만한 나이가 아니므로 이제 난초를 즐길 수 있는 이에게 풍류와 격조를 넘겨줄 터이니, (굴원처럼) 난초를 잘 감상해 달라는 간곡함이 담긴 시라고 이해할 수 있을 듯하다.

09

보정 김정회(普亭 金正會: 1903-1970)
난죽석도 10곡병(II)_09
종이에 먹
33 x 125.5

昨從九畹過, 見有數枝蘭.
今朝難記憶, 寫箇蟹形看.
普亭

어제 구원(九畹)의 난초 밭을 지나왔는데
몇 줄기의 난초가 피어 있었네.
오늘 아침에야 어렵사리 기억을 더듬어
게의 형상 같은 모습을 그려 보았네.
보정

보정 김정회(普亭 金正會: 1903-1970)
난죽석도 10곡병(Ⅲ)_01
종이에 먹
33.5 x 107

春雨春風洗妙顔, 一辭瓊島在人間.
如今究竟無知己, 打破烏盆更入山.
普亭

봄비와 봄바람에 씻은 아리따운 얼굴
선도(仙島)에 피어나길 사양하고서
인간 세상에 피어났건만.
지금도 끝내 나를 알아주는 벗이 없으니
오분(烏盆) 깨뜨려 버리고 산으로 들어가 살리라.
보정

보정 김정회(普亭 金正會: 1903-1970)
난죽석도 10곡병(Ⅲ)_03
종이에 먹
33.5 x 107

東國無眞蘭, 只有似蘭者.
世人錯相愛, 不得老林下.
普亭

우리나라에 진짜 난초는 없으니
단지 난초와 비슷한 것만 있네.
세상 사람들 그것을 난초로 착각하여 사랑하네,
진짜 난초는 깊은 산속에서도 얻을 수 없기에.
보정

12

보정 김정회(普亭 金正會: 1903-1970)
난죽석도 10곡병(Ⅲ)_05
종이에 먹
33.5 x 107

芝蘭生於幽谷, 不以無人不芳.
君子修道立德, 不以困窮而改節.
普亭

지초와 난초는 깊은 골짜기에 피어
사람이 없다고 해서 향기를 거두지 않는다.
군자가 도를 닦고 덕을 세움에 있어서도
곤궁하다고 해서 절개를 고치지 않는다.
보정

13

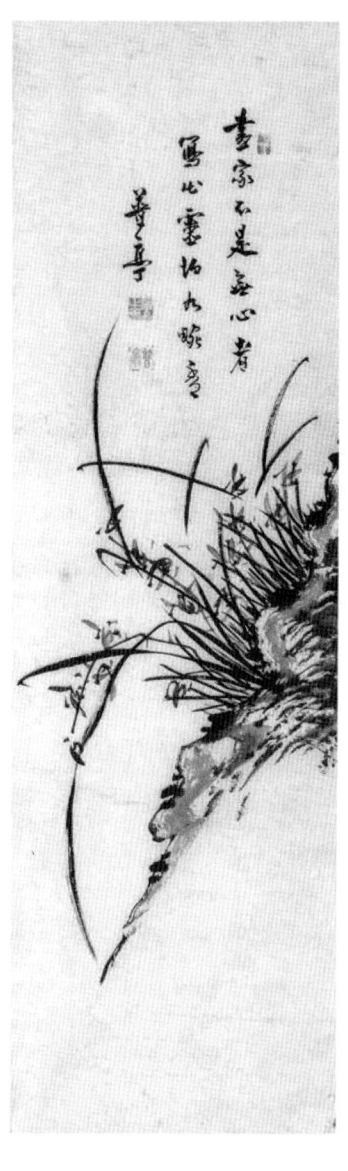

보정 김정회(普亭 金正會: 1903-1970)
난죽석도 10곡병(Ⅲ)_07
종이에 먹
33.5 x 107

畵家不是無心者,

寫出靈均*九畹香.

普亭

화가는 무심한 사람이 아니라
굴원(屈原)이 구원(九畹) 크기의 땅에 심은
난초의 향기마저 그려내는 사람이라네.

보정

*靈均(영균): 굴원(屈原)의 자(字).

14

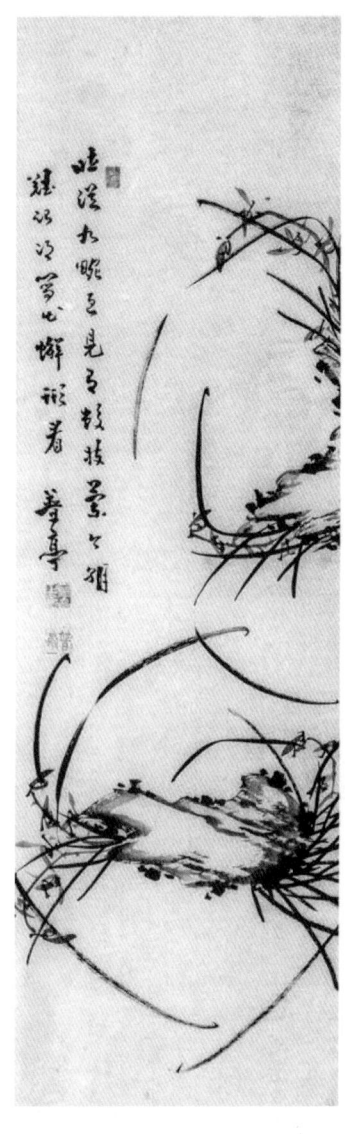

보정 김정회(普亭 金正會: 1903-1970)
난죽석도 10곡병(Ⅲ)_09
종이에 먹
33.5 x 107

昨從九畹過, 見有數枝蘭.
今朝難記記*, 寫箇蠏形看.
普亭

어제 구원(九畹)의 난초 밭을 지나왔는데
몇 줄기의 난초가 피어 있었네.
오늘 아침에야 어렵사리 기억을 더듬어
게의 형상 같은 모습을 그려 보았네.
보정

*記記(기기): 응당 '記憶(기억)'이라 해야 함.

보정 김정회(普亭 金正會: 1903-1970)
난죽석도 10곡병(Ⅳ)_02
종이에 먹
32 x 124.5

東國無眞蘭, 只有似蘭者.
世人錯相愛. 不得老林下.
普亭

우리나라에 진짜 난초는 없으니
단지 난초와 비슷한 것만 있네.
세상 사람들 그것을 난초로 착각하여 사랑하네,
진짜 난초는 깊은 산속에서도 얻을 수 없기에.
보정

보정 김정회(普亭 金正會: 1903-1970)
난죽석도 10곡병(Ⅳ)_04
종이에 먹
32 x 124.5

昨從九畹過, 見有數枝蘭.
今朝難記憶, 寫箇蟹形看.
普亭

어제 구원(九畹)의 난초 밭을 지나왔는데
몇 줄기의 난초가 피어 있었네.
오늘 아침에야 어렵사리 기억을 더듬어
게의 형상 같은 모습을 그려내었네.
보정

17

보정 김정회(普亭 金正會: 1903-1970)
난죽석도 10곡병(Ⅳ)_06
종이에 먹
32 x 124.5

畵家不是無心者,
寫出靈均九畹香.
普亭

화가는 무심한 사람이 아니라
굴원(屈原)이 구원(九畹) 크기의 땅에 심은
난초의 향기마저 그려내는 사람이라네.
보정

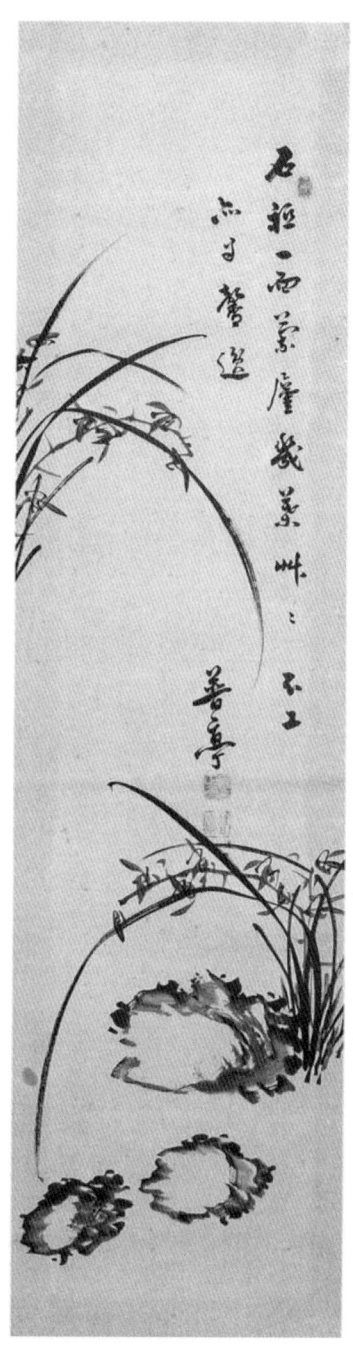

보정 김정회(普亭 金正會: 1903-1970)
난죽석도 10곡병(Ⅳ)_08
종이에 먹
32 x 124.5

石秖一面蘭層幾葉,
艸艸不工亦自馨逸.
普亭

돌은 한 면 뿐인데 난은 층층이 몇 잎이던가.
풀들은 애쓰지 않아도
절로 그 향기를 멀리까지 퍼뜨리누나.
보정

보정 김정회(普亭 金正會: 1903-1970)
난죽석도 10곡병(Ⅳ)_10
종이에 먹
32 x 124.5

春雨春風洗妙顏, 一辭瓊島在人間.
如今究竟無知己, 打破烏盆更入山.
普亭

봄비와 봄바람에 씻은 아리따운 얼굴
선도(仙島)에 피어나길 사양하고서
인간 세상에 피어났건만.
지금도 끝내 나를 알아주는 벗이 없으니
오분(烏盆) 깨뜨려 버리고 산으로 들어가 살리라.
보정

보정 김정회(普亭 金正會: 1903-1970)
난죽석도 10곡병(Ⅴ)_01
종이에 먹
35 x 135

東國無眞蘭, 只有似蘭者.
世人錯相愛, 不得老林下.
普亭

우리나라에 진짜 난초는 없으니
단지 난초와 비슷한 것만 있네.
세상 사람들 그것을 난초로 착각하여 사랑하네,
진짜 난초는 깊은 산속에서도 얻을 수 없기에.
보정

보정 김정회(普亭 金正會: 1903-1970)
난죽석도 10곡병(Ⅴ)_03
종이에 먹
35 x 135

春雨春風洗妙顔, 一辭瓊島在人間.
如今究竟無知己, 打破烏盆更入山.
普亭

봄비와 봄바람에 씻은 아리따운 얼굴
선도(仙島)에 피어나길 사양하고서
인간 세상에 피어났건만.
지금도 끝내 나를 알아주는 벗이 없으니
오분(烏盆) 깨뜨려 버리고 산으로 들어가 살리라.
보정

22

보정 김정회(普亭 金正會: 1903-1970)
난죽석도 10곡병(V)_05
종이에 먹
35 x 135

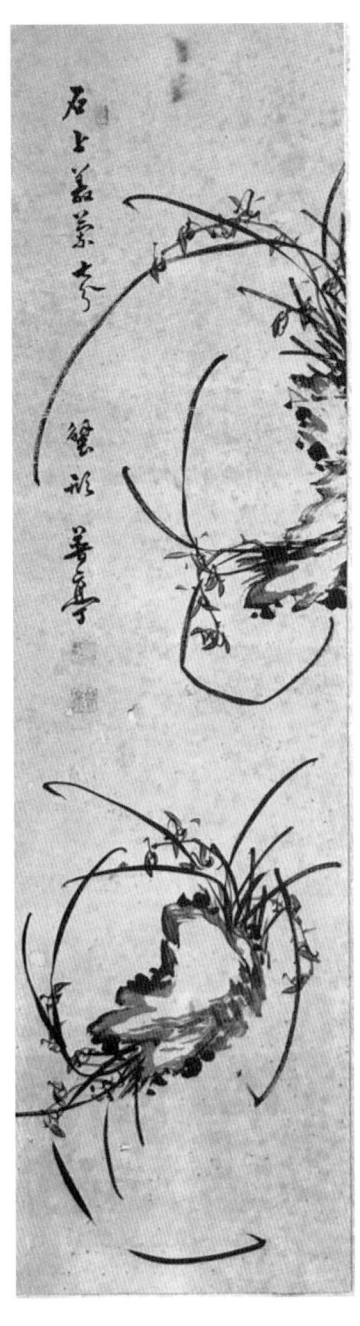

石上叢蘭, 七分*蠏形.

普亭

돌 위에 난초 떨기
게와 흡사한 형상이로구나.
보정

*七分(칠분): 사람이나 사물의 형상을 흡사하게 표현하였음을 말한다. 정이(程頤)가 《역전(易傳)》을 짓고서 문인들에게 주며 "단지 7분만 말한 것이니, 배우는 사람은 다시 스스로 체득하고 궁구해야 할 것이다.(只說得七分, 學者更須自體究.)"라고 하였다는 고사가 전한다.

23

보정 김정회(普亭 金正會: 1903-1970)
난죽석도 10곡병(V)_07
종이에 먹
35 x 135

嫩葉迎風最影長, 靈均九畹舊知名.
芳洲多少垂靑者, 入室寗徒暑氣淸.

普亭

보드라운 잎사귀 바람맞을 때 그림자 가장 길어지고
굴원의 구원(九畹) 크기의 난초 밭은
예로부터 잘 알려져 있다네.
향기로운 모래섬에 늘어뜨린 푸른 잎사귀 몇 포기나
되던가
방으로 들여놓았을 뿐인데 더운 기운 맑게 가시네.

보정

24

보정 김정회(普亭 金正會: 1903-1970)
난죽석도 10곡병(Ⅴ)_09
종이에 먹
35 x 135

珊珊其葉, 習習其香.
艸中之王, 厥名曰蘭.
普亭

나긋나긋한 그 잎사귀
산들산들 풍겨오는 그 향기
초중지왕 그 이름은 '난(蘭)'이라네.
보정

보정 김정회(普亭 金正會: 1903-1970)
난죽석도 10곡병(Ⅵ)_02
종이에 먹
35 x 124

昔東坡居士作左右開合法,
後多倣之, 然鮮得其妙者.
普亭

예전에 동파거사가 (난초를 그릴 때면) 좌우개합법을
사용하였다. 후대 사람들이 이 법을 많이 모방하여
그렸으나 그 오묘함을 터득한 사람은 드물다.
보정

보정 김정회(普亭 金正會: 1903-1970)
난죽석도 10곡병(Ⅵ)_04
종이에 먹
35 x 124

春雨春風洗妙顏, 一辭瓊島在人間.
如今究竟無知己, 打破烏盆更入山.
普亭

봄비와 봄바람에 씻은 아리따운 얼굴
선도(仙島)에 피어나길 사양하고서
인간 세상에 피어났건만.
지금도 끝내 나를 알아주는 벗이 없으니
오분(烏盆) 깨뜨려 버리고 산으로 들어가 살리라.
보정

보정 김정회(普亭 金正會: 1903-1970)
난죽석도 10곡병(Ⅵ)_06
종이에 먹
35 x 124

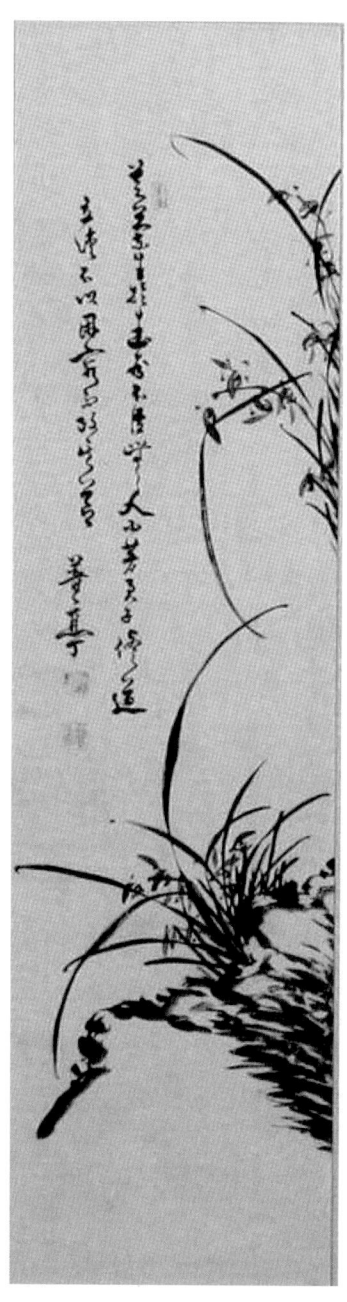

芝蘭生於幽谷, 不以無人不芳.
君子修道立德, 不以困窮而改其節.
普亭

지초와 난초는 깊은 골짜기에 피어
사람이 없다고 해서 향기를 거두지 않는다.
군자가 도를 닦고 덕을 세움에 있어서도
곤궁하다고 해서 절개를 고치지 않는다.
보정

28

보정 김정회(普亭 金正會: 1903-1970)
난죽석도 10곡병(Ⅵ)_08
종이에 먹
35 x 124

珊珊其葉, 習習其香.
花中之王*, 厥名曰蘭.
普亭

나긋나긋한 그 잎사귀
산들산들 풍겨오는 그 향기
화중지왕 그 이름은 '난(蘭)'이라네.
보정

*花中之王(화중지왕): 탈초했을 때 응당 '花中之王'이 되어야 맞으나, 보정 선생의 다른 작품에서는 '艸中之王'이라고 되어 있는 곳이 있다.

29

보정 김정회(普亭 金正會: 1903-1970)
난죽석도 10곡병(Ⅵ)_10
종이에 먹
35 x 124

昨從九畹過, 見有數枝蘭.
今朝難記憶, 寫箇蠏形看.
紫雲山人 普亭

어제 구원(九畹)의 난초 밭을 지나왔는데
몇 줄기의 난초가 피어 있었네.
오늘 아침에야 어렵사리 기억을 더듬어
게의 형상 같은 모습을 그려 보았네.
자운산인 보정

30

보정 김정회(普亭 金正會: 1903-1970)
난죽석도 10곡병(Ⅶ)_01
종이에 먹
32 x 125

春雨春風洗妙顏, 一辭瓊島到人間.
如今究竟無知己, 打破烏盆更入山.
普亭

봄비와 봄바람에 씻은 아리따운 얼굴
선도(仙島)에 피어나길 사양하고서
인간 세상에 피어났건만.
지금도 끝내 나를 알아주는 벗이 없으니
오분(烏盆) 깨뜨려 버리고 산으로 들어가 살리라.
보정

31

보정 김정회(普亭 金正會: 1903-1970)
난죽석도 10곡병(Ⅶ)_03
종이에 먹
32 x 125

晴湖秋水浣, 經毫寫出風流格調.
高呵此笑人感遲暮, 贈君一卷卽離騷.
普亭

맑게 갠 호수 가을물 깨끗한데
붓을 거치고 보니 풍류와 격조를 그려내게 되었네.
껄껄 웃는 이 사람 (스스로) 나이 들었음을 느끼나니
그대에게 한 권의 책을 드리니 그건 바로
『이소(離騷)』일세.
보정

보정 김정회(普亭 金正會: 1903-1970)
난죽석도 10곡병(Ⅷ)_05
종이에 먹
32 x 125

山谷云: 蘭似君子, 蕙似士大夫,
大葉山林十蕙而一蘭也.
普亭

산곡(山谷: 황정견)이 말하였다.
난초는 군자와 같고, 혜초는 사대부와 같으니,
대개 산림에 혜초 열이 있으면 난초는 하나뿐이다.
보정

보정 김정회(普亭 金正會: 1903-1970)
난죽석도 10곡병(Ⅷ)_07
종이에 먹
32 x 125

欲採幽芳, 月明秋水涓涓.

普亭

그윽한 향기를 채취하고자 하니
달은 밝고 가을 물은 잔잔하구나.

보정

34

보정 김정회(普亭 金正會: 1903-1970)
난죽석도 10곡병(Ⅶ)_09
종이에 먹
32 x 125

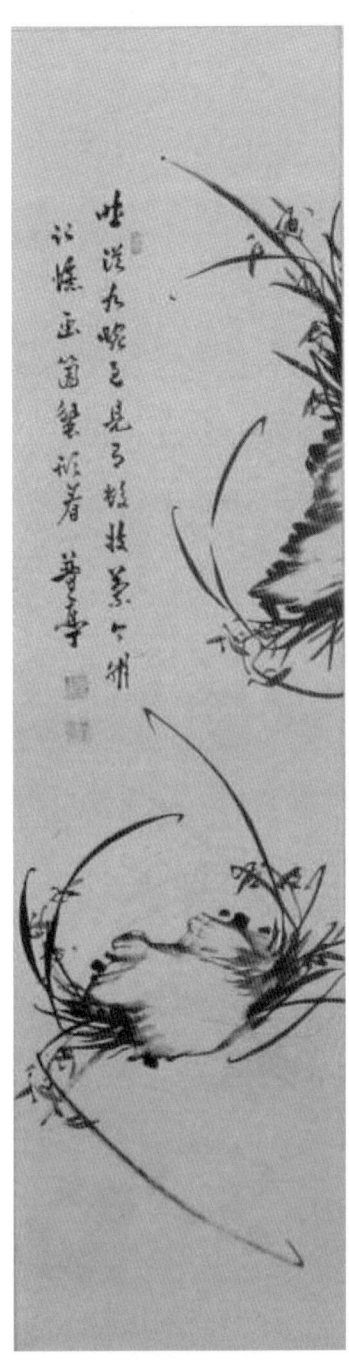

昨從九畹過, 見有數枝蘭.
今朝難記憶, 寫箇蟹形看.
普亭

어제 구원(九畹)의 난초 밭을 지나왔는데
몇 줄기의 난초가 피어 있었네.
오늘 아침에야 어렵사리 기억을 더듬어
게의 형상 같은 모습을 그려 보았네.
보정

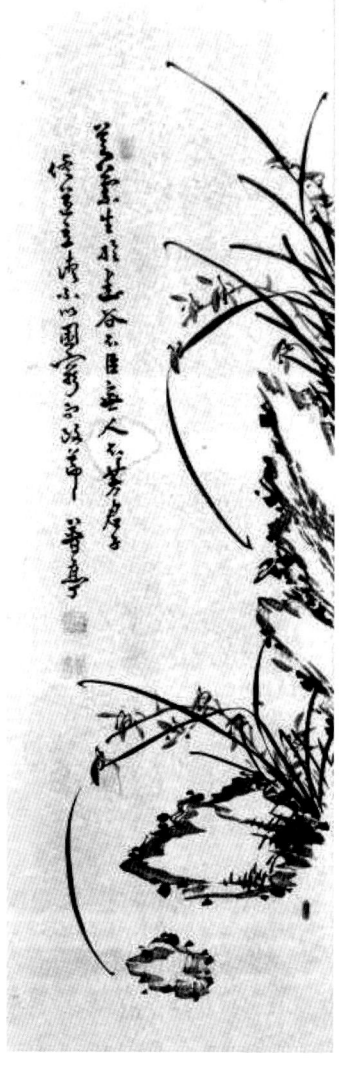

보정 김정회(普亭 金正會: 1903-1970)
사군자 10곡병_01
종이에 먹
32.5 x 110

芝蘭生於幽谷, 不以無人不芳.
君子修道立德, 不以困窮而改節.
普亭

지초와 난초는 깊은 골짜기에 피어
사람이 없다고 해서 향기를 거두지 않는다.
군자가 도를 닦고 덕을 세움에 있어서도
곤궁하다고 해서 절개를 고치지 않는다.
보정

보정 김정회(普亭 金正會: 1903-1970)
사군자 10곡병_03
종이에 먹
32.5 x 110

春雨春風洗妙顔, 一辭瓊島在人間.
如今究竟無知己, 打破烏盆更入山.
普亭

봄비와 봄바람에 씻은 아리따운 얼굴
선도(仙島)에 피어나길 사양하고서
인간 세상에 피어났건만.
지금도 끝내 나를 알아주는 벗이 없으니
오분(烏盆) 깨뜨려 버리고 산으로 들어가 살리라.
보정

보정 김정회(普亭 金正會: 1903-1970)
사군자 10곡병_05
종이에 먹
32.5 x 110

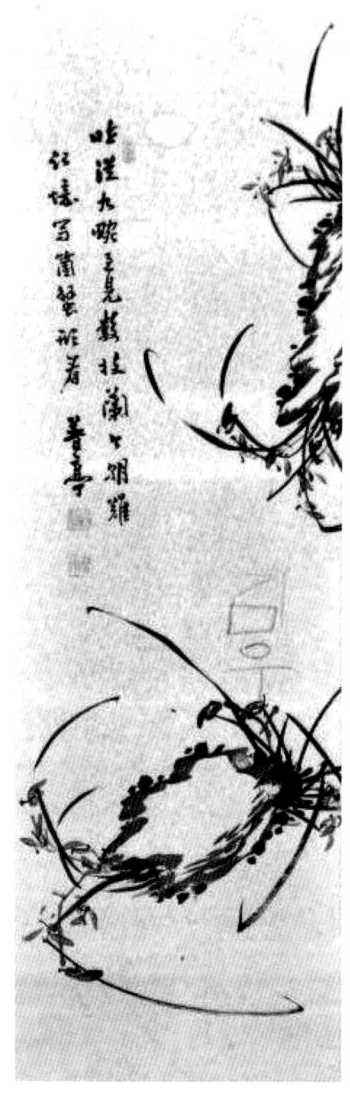

昨從九畹過, 見有數枝蘭.
今朝難記憶, 寫箇蟹形看.
普亭

어제 구원(九畹)의 난초 밭을 지나왔는데
몇 줄기의 난초가 피어 있었네.
오늘 아침에야 어렵사리 기억을 더듬어
게의 형상 같은 모습을 그려 보았네.
보정

38

보정 김정회(普亭 金正會: 1903-1970)
사군자 10곡병_07
종이에 먹
32.5 x 110

蘭有秀兮菊有芳.
此漢武之秋風辭也.
普亭

난초는 빼어나고 국화는 향기롭다네.
이것은 서한(西漢) 무제의 「추풍사(秋風辭)」의 한 구절이다.
보정

보정 김정회(普亭 金正會: 1903-1970)
사군자 10곡병_09
종이에 먹
32.5 x 110

梅有君子之淸, 蘭有君子之馨, 可謂德不孤.
普亭

매화는 군자의 맑음을 지녔고
난초는 군자의 향기를 지녔으니
덕이 있어 외롭지 않다고 이를만하다.
보정

보정 김정회(普亭 金正會: 1903-1970)

묵란

종이에 먹

109.5 × 30.5

如君子遯世不見知而無憫.
紫雲山人

은둔하며 알아주지 않더라도 걱정하지 않는 군자(君子)와 같다네.
자운산인

3. 보정과 대나무
01

보정 김정회(普亭 金正會: 1903-1970)
묵죽도 10곡병(Ⅰ)_01
종이에 먹
32.5 x 129.5

梅竹相逢說肝膽,
梅多淸淡竹多寒.
普亭

매화와 대나무 서로 만나 속마음 이야기하니
매화는 청담함이 많고 대나무는 서늘함이 많도다.
보정

02

보정 김정회(普亭 金正會: 1903-1970)
묵죽도 10곡병(Ⅰ)_02
종이에 먹
32.5 x 129.5

淇園*千畝竹,

其人與萬戶侯等.

普亭

기원(淇園) 천 이랑에 대나무를 심은

그 사람은 만 호(萬戶)를 거느린 제후와 같도다.

보정

---

*淇園(기원): 대나무가 무성하게 우거진 위(衛)나라의 원유(苑囿)를 가리킨다. 《시경(詩經)》〈위풍(衛風)·기욱(淇澳)〉에 "저 기수(淇水)의 모퉁이를 바라보니, 푸른 대나무가 우거졌도다. 문채나는 군자여, 절차탁마하는 듯 하도다.(瞻彼淇澳, 菉竹猗猗. 有匪君子, 如切如磋, 如琢如磨.)"라는 구절이 보인다.

03

보정 김정회(普亭 金正會: 1903-1970)
묵죽도 10곡병(Ⅰ)_03
종이에 먹
32.5 x 129.5

此君有千尺萬尺之勢,
何必待月落庭空之時耶.
普亭

이 군자(대나무)는 천 척, 만 척의 기세를 지녔거늘
빈 뜨락에 달이 질 때를 기다릴 필요가 있겠는가!
보정

04

보정 김정회(普亭 金正會: 1903-1970)
묵죽도 10곡병(Ⅰ)_04
종이에 먹
32.5 x 129.5

秋雨蕭蕭江上屋,
數竿碧玉盡垂垂.
普亭

가을비는 쓸쓸히 강가의 집에 내리는데
몇 그루 대나무 온통 가지를 늘어뜨리고 있네.
보정

05

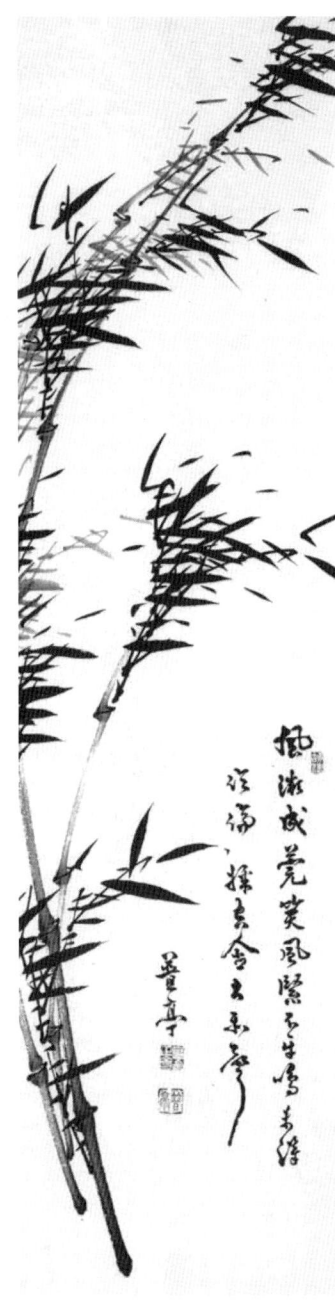

보정 김정회(普亭 金正會: 1903-1970)
묵죽도 10곡병(Ⅰ)_05
종이에 먹
32.5 x 129.5

風微成莞笑,
風緊不平鳴.
未得伶倫採,
空含大樂聲.
　普亭

산들바람 불어오면 빙그레 웃고
바람이 거세지면 불만스레 우네.
아직 진정한 악공을 만나지 못해
부질없이 큰 음악만 머금고 있네.
　보정

06

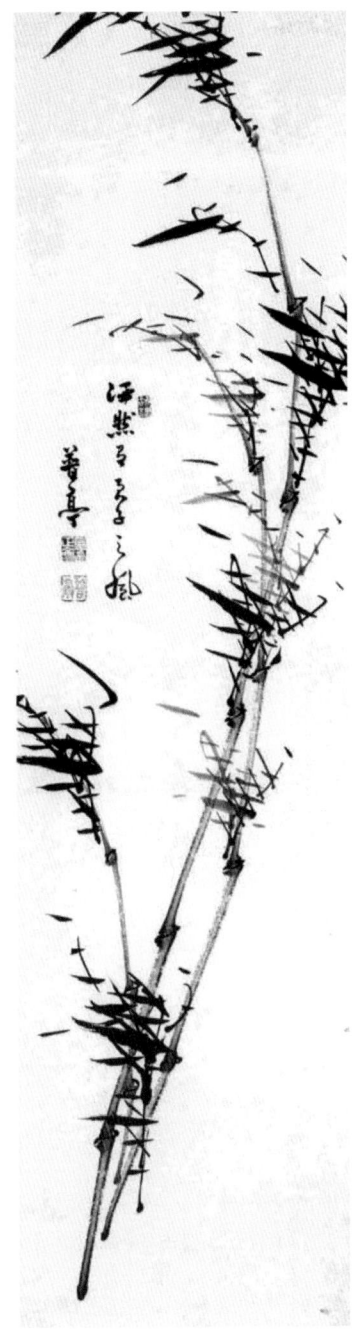

보정 김정회(普亭 金正會: 1903-1970)
묵죽도 10곡병(Ⅰ)_06
종이에 먹
32.5 x 129.5

洒(灑)然有君子之風.
普亭

씻은 듯이 청량한 너의 모습, 군자의 풍모를 지녔구나.
보정

07

보정 김정회(普亭 金正會: 1903-1970)
묵죽도 10곡병(Ⅰ)_07
종이에 먹
32.5 x 129.5

仙石上有竹嬋姸靑翠,
風來枝動掃石無塵.
普亭

선석(仙石) 위의 대나무 곱디곱고 푸르디푸른데,
바람 불면 가지 움직여 비질하니 돌 위에는 티끌도 없네.
보정

08

보정 김정회(普亭 金正會: 1903-1970)
묵죽도 10곡병(Ⅰ)_08
종이에 먹
32.5 x 129.5

竹亦有香, 人罕知之.
杜詩曰: 雨洗姸姸淨*, 風吹細細香.
普亭

대나무 또한 향기가 있건만 그것을 아는 사람이 드물다.
두보의 시에 다음과 같은 구절이 있다.
"비에 씻기면 말갛게 깨끗해지고,
바람 불면 은은히 향기 풍기네."
보정

*姸姸淨(연연정): 보정 선생이 인용한 두보(杜甫)의 시 「엄정공택동영죽(嚴鄭公宅同詠竹)」 원문은 "雨洗涓涓靜, 風吹細細香."이다.

09

보정 김정회(普亭 金正會: 1903-1970)
묵죽도 10곡병(Ⅰ)_09
종이에 먹
32.5 x 129.5

凌霜自有良朋友,
過雨時添好子孫.
普亭

서리를 견뎌내는 너는 절로 훌륭한 벗이 있을 테고
비 지난 뒤에는 훌륭한 자손들도 자꾸만 늘어나는구나.
보정

보정 김정회(普亭 金正會: 1903-1970)
묵죽도 10곡병(Ⅰ)_10
종이에 먹
32.5 x 129.5

老當益壯.

普亭

나이를 먹을수록 더욱 씩씩해지다.

보정

11

보정 김정회(普亭 金正會: 1903-1970)
묵죽(Ⅰ)
종이에 먹
25 x 130

寧可食無肉, 不可居無竹.
若對此君仍大嚼, 世間那有揚州鶴.
普亭

차라리 고기 없이 먹을지언정 대나무 없이 살수 없네.
이 군자(대나무)를 대하고서도 여전히 진수성찬 찾는다면
세간에 어찌 학을 타고 양주목사로 간다는 말이 있겠는가.
보정

보정 김정회(普亭 金正會: 1903-1970)
난죽석도 10곡병(Ⅰ)_02
종이에 먹
33 x 125.5

凌霜自有良朋友,

過雨時添好子孫.

普亭

서리를 견뎌내는 너는 절로 훌륭한 벗이 있을 테고

비 지난 뒤에는 훌륭한 자손들도 자꾸만 늘어나는구나.

보정

보정 김정회(普亭 金正會: 1903-1970)
난죽석도 10곡병(Ⅰ)_04
종이에 먹
33 x 125.5

石壽節淸.

普亭

돌은 장수하고 대나무의 절개는 맑도다.

보정

14

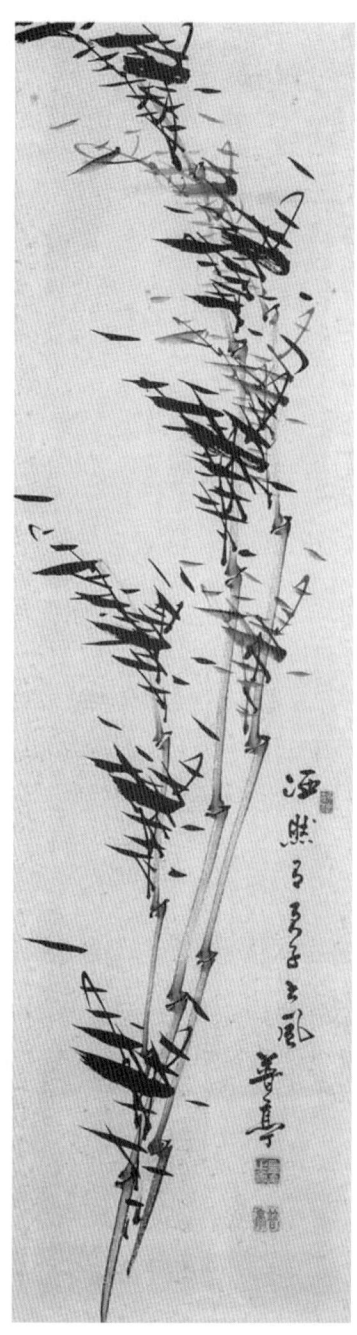

보정 김정회(普亭 金正會: 1903-1970)
난죽석도 10곡병(Ⅰ)_06
종이에 먹
33 x 125.5

洒(灑)然有君子之風.

普亭

씻은 듯이 청량한 너의 모습, 군자의 풍모를 지녔구나.

보정

15

보정 김정회(普亭 金正會: 1903-1970)
난죽석도 10곡병(Ⅰ)_08
종이에 먹
33 x 125.5

夫子自衛返魯, 立于淇上聞蕭瑟團欒之聲.
食之三月不知肉味, 顧謂僕靑曰: 少子誌之.
普亭

공자께서 위나라로부터 노나라로 돌아가실 때
기원(淇園)에서 소슬하고 단란한 음악소리를 들으셨다.
이에 세 달 간 고기 맛을 잊으시고 공손청(公孫靑)과 그
복자(僕子)를 돌아보며 이르시기를 "그대들은 (이 맛을)
아는가?"라고 하셨다.*

보정

*중국 남송의 시인 양만리(楊萬里)의 『성재집(誠齋集)』에 다음과 같은 고사가 보인다. "공자께서 위나라에 계실 때, 공손청과 복자(僕子)가 기원(淇園)에 있었다. 바람에 대나무가 흔들리자 소슬하고 단란한 음악이 들려왔다. 공자께서 기뻐하시며 맛도 잊으시고 세 달 동안 고기를 드시지 않았다. 그리고는 공손청을 돌아보며 말씀하시기를 '사람이 고기를 먹지 않으면 야위지만 대나무가 없으면 속스러워집니다. 그대는 그것을 아십니까?'라고 하셨다.(夫子適衛, 公孫靑僕子在淇園間, 有風動竹, 聞蕭瑟團欒之聲, 欣然忘味, 三月不肉, 顧謂靑曰: 人不肉則瘠, 不竹則俗, 汝知之乎?)"

보정 김정회(普亭 金正會: 1903-1970)
난죽석도 10곡병(Ⅰ)_10
종이에 먹
33 x 125.5

可以醫天下之俗.

時丙午雪朝

普亭

가히 천하의 속기를 다스릴 만하다.

때는 병오년(丙午年) 눈 내리는 아침이다.

보정

17

보정 김정회(普亭 金正會: 1903-1970)
묵죽도 8곡병(Ⅰ)_01
종이에 먹
31 x 126

凌霜自有良朋友,
過雨時添好子孫.
淵堂

서리를 견뎌내는 너는 절로 훌륭한 벗이 있을 테고
비 지난 뒤에는 훌륭한 자손들도 자꾸만 늘어나는구나.
연당

보정 김정회(普亭 金正會: 1903-1970)
묵죽도 8곡병(Ⅰ)_02
종이에 먹
31 x 126

竹亦有香, 人罕知之.
杜文貞詩曰: 雨洗姸姸淨, 風吹細細香.
淵堂

대나무 또한 향기가 있건만 그것을 아는 사람이 드물다.
두문정(두보)의 시에 다음과 같은 구절이 있다.
"비에 씻기면 말갛게 깨끗해지고
바람 불면 은은히 향기 풍기네."
연당

19

보정 김정회(普亭 金正會: 1903-1970)
묵죽도 8곡병(Ⅰ)_03
종이에 먹
31 x 126

壽高節淸.

淵堂

장수하면서도 절개는 맑은 존재 (대나무)

연당

20

보정 김정회(普亭 金正會: 1903-1970)
묵죽도 8곡병(Ⅰ)_04
종이에 먹
31 x 126

可使食無肉, 不可使屋無竹.
人瘦尙可肥, 士俗不可醫.
若對此君仍大嚼, 世間那有揚州鶴.
淵堂

고기 없이 먹을 수는 있으나 대나무 없이 살 수는 없다네.
사람은 마르면 살찔 수 있지만
선비는 속스러워지면 치료할 방법이 없네.
이 군자(대나무)를 대하고서도 여전히 진수성찬 찾는다면
세간에 어찌 학을 타고 양주목사로 간다는 말이 있겠는가.
연당

21

보정 김정회(普亭 金正會: 1903-1970)
묵죽도 8곡병(Ⅰ)_05
종이에 먹
31 x 126

何可一日無此君.
　　　淵堂

하루라도 차군(대나무) 없이 어찌 살리오.
　　　연당

22

보정 김정회(普亭 金正會: 1903-1970)
묵죽도 8곡병(Ⅰ)_06
종이에 먹
31 x 126

仙石壇有竹嬋姸蒼翠*,
風來枝動掃石無塵.
淵堂

선석(仙石) 위의 대나무 곱디곱고 푸르디푸른데,
바람 불면 가지 움직여 비질하니 돌 위에는 티끌도 없네.
연당

*仙石壇有竹嬋姸蒼翠(선석단유죽선연창취): 보정 선생의 다른 작품에는 이 구절이 '仙石上有竹嬋姸 靑翠'로 되어 있다.

보정 김정회(普亭 金正會: 1903-1970)
묵죽도 8곡병(Ⅰ)_07
종이에 먹
31 x 126

梅竹相逢說肝膽,
梅多淸淡竹多寒.
　　淵堂

매화 대나무 서로 만나 속마음 이야기하니
매화는 청담함이 많고 대나무는 서늘함이 많도다.
　　연당

24

보정 김정회(普亭 金正會: 1903-1970)
묵죽도 8곡병(Ⅰ)_08
종이에 먹
31 x 126

風月雙淸.

淵堂

바람과 달이 모두 맑구나.

연당

25

보정 김정회(普亭 金正會: 1903-1970)
난죽석도 10곡병(Ⅱ)_02
종이에 먹
32.5 x 129.5

霜自有良朋友,
過雨時添好子孫.
普亭

서리를 견뎌내는 너는 절로 훌륭한 벗이 있을 테고
비 지난 뒤에는 훌륭한 자손들도 자꾸만 늘어나는구나.
보정

보정 김정회(普亭 金正會: 1903-1970)
난죽석도 10곡병(II)_04
종이에 먹
32.5 x 129.5

洒(灑)然有君子之風.

普亭

씻은 듯이 청량한 너의 모습, 군자의 풍모를 지녔구나.

보정

27

보정 김정회(普亭 金正會: 1903-1970)
난죽석도 10곡병(II)_06
종이에 먹
32.5 x 129.5

石室先生*以書法畵竹, 山谷道人以畵竹法作書.
東坡居士兼是二者, 爲風枝雨葉, 則偃蹇頎[欹]斜,
爲疎稜勁節, 卽挺挺直上.
普亭

석실선생은 글씨를 쓰는 방법으로 대나무를 그렸고,
산곡도인은 대나무를 그리는 방법으로 글씨를 썼다네.
동파거사는 이 두 가지를 겸비하였으니,
바람에 날리는 가지와 비 맞은 잎사귀 그리면서는
성대하고 기울게 그렸고
성기고 모나며 굳센 마디 그리면서는
곧게 뻗어나가게 그리곤 하였지.
보정

*石室先生(석실선생): 중국 남송의 문인 문동(文同:1018-1079)의 호(號).

보정 김정회(普亭 金正會: 1903-1970)
난죽석도 10곡병(II)_07
종이에 먹
32.5 x 129.5

幽芳淸節, 其德不孤.
普亭

그윽한 향기와 맑은 절개 지녔으니,
그 덕이 외롭지 않구나.
보정

29

보정 김정회(普亭 金正會: 1903-1970)
난죽석도 10곡병(II)_08
종이에 먹
32.5 x 129.5

竹有香惟杜文貞先道得.
其詩曰: 雨洗姸姸淨, 風吹細細香.
普亭

대나무에도 향기가 있음은 두문정(두보)만이 먼저 그 도리(道理)를 터득하였다.
그 시에 다음과 같은 구절이 있다.
"비에 씻기면 말갛게 깨끗해지고,
바람 불면 은은히 향기 풍기네."
보정

30

보정 김정회(普亭 金正會: 1903-1970)
난죽석도 10곡병(II)_10
종이에 먹
32.5 x 129.5

老益剛壯.
己酉雪朝.
普亭

나이 들수록 더욱 씩씩해지다.
기유년(己酉年) 눈 내리는 아침.
보정

31

보정 김정회(普亭 金正會: 1903-1970)
묵죽(II)
종이에 먹
33 x 120

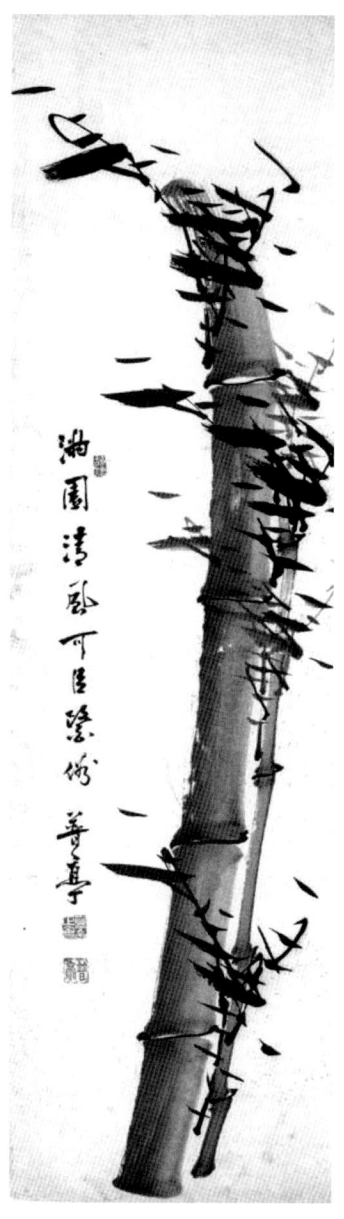

淑園淸風, 可以醫俗.
普亭

맑은 정원에 맑은 바람이 불어오니
가히 속기를 다스릴 만하네.
보정

32

보정 김정회(普亭 金正會: 1903-1970)
난죽석도 10곡병(Ⅲ)_02
종이에 먹
33.5 x 107

纔出地上, 便有凌雲之氣.
普亭

이제 막 땅 위로 돋아났는데도
구름을 능가하는 기세가 있구나.
보정

33

보정 김정회(普亭 金正會: 1903-1970)
난죽석도 10곡병(Ⅲ)_04
종이에 먹
33.5 x 107

石壽節淸.

普亭

돌은 장수하고 대나무의 절개는 맑도다.

보정

34

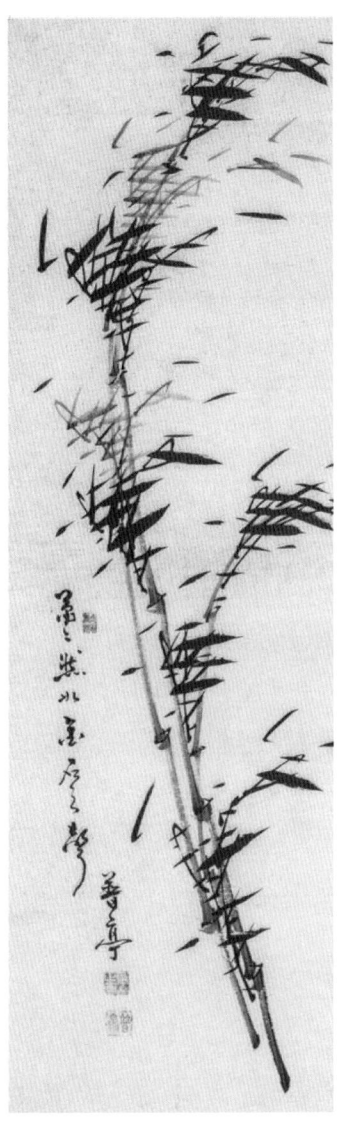

보정 김정회(普亭 金正會: 1903-1970)
난죽석도 10곡병(Ⅲ)_06
종이에 먹
33.5 x 107

蕭蕭然如金石之聲.
普亭

소슬한 댓잎소리
악기 소리와 같도다.
보정

35

보정 김정회(普亭 金正會: 1903-1970)
난죽석도 10곡병(Ⅲ)_08
종이에 먹
33.5 x 107

竹亦有香, 人罕知之.
杜文貞詩曰: 雨洗姸姸淨, 風吹細細香.
普亭

대나무 또한 향기가 있건만 그것을 아는 사람이 드물다.
두문정(두보)의 시에 다음과 같은 구절이 있다.
"비에 씻기면 말갛게 깨끗해지고,
바람 불면 은은히 향기 풍기네."
보정

보정 김정회(普亭 金正會: 1903-1970)
난죽석도 10곡병(Ⅲ)_09
종이에 먹
33.5 x 107

何可一日無此君.

普亭

하루라도 차군(대나무) 없이 어찌 살리오.

보정

보정 김정회(普亭 金正會: 1903-1970)

묵죽(Ⅲ)

종이에 먹

119.5 × 32.5

半枯半榮, 亦自淸逸.

歲庚子嘉俳日.

普亭

절반은 시들고 절반은 싱싱하여도

또한 절로 맑고 속되지 않은 풍격을 지니고 있네.

경자년 가배일(추석).

보정

보정 김정회(普亭 金正會: 1903-1970)
묵죽(Ⅳ)
종이에 먹
32 x 128

風微成莞笑,
風緊不平鳴.
未得伶倫採,
空含大樂聲.
　普亭

산들바람 불어오면 빙그레 웃고
바람이 거세지면 불만스레 우네.
아직 진정한 악공을 만나지 못해
부질없이 큰 음악만 머금고 있네.
　보정

39

보정 김정회(普亭 金正會: 1903-1970)
묵죽도 8곡병(II)_01
종이에 먹
31 x 123

寧可食無肉, 不可居無竹.
無肉令人瘦, 無竹令人俗.
人瘦尙可肥, 士俗不可醫.
傍人笑此語, 似高還從癡.
若對此君仍大[嚼자 탈자]*, 世間那有揚州鶴.

차라리 고기 없이 먹을지언정 대나무 없이 살수 없네.
고기가 없다면 사람을 야위게 할 뿐이지만
대나무가 없다면 사람을 속스럽게 만든다네.
사람이 야위면 살찔 수 있지만
선비가 한 번 속스러워지면 고칠 수 없다네.
옆 사람이 이 말을 듣고 웃으며
고상하기도 하고 어리석기도 한 말이라고 하네.
이 군자(대나무)를 대하고서도 여전히 진수성찬 찾는다면
세간에 어찌 학을 타고 양주목사로 간다는 말이 있겠는가.

*嚼(작): '嚼(씹을 작)'이 탈자이다.

보정 김정회(普亭 金正會: 1903-1970)
묵죽도 8곡병(II)_02
종이에 먹
31 x 123

竹有香惟杜工部先道得.
其詩曰: 雨洗姸姸淨, 風吹細細香.
普亭

대나무에도 향기가 있음은 두공부(두보)만이 먼저 그 도리(道理)를 터득하였다.
그 시에 다음과 같은 구절이 있다.
"비에 씻기면 말갛게 깨끗해지고,
바람 불면 은은히 향기 풍기네."
보정

41

보정 김정회(普亭 金正會: 1903-1970)
묵죽도 8곡병(II)_03
종이에 먹
31 x 123

誰憐勁節生來瘦,
自許高材老更剛.
普亭

누가 (대나무의) 줄기와 마디가
날 때부터 야위었다고 안타까워하는가!
저 스스로 고상한 재주 뽐내면서
늙어갈수록 더욱 단단해지는 것을.
보정

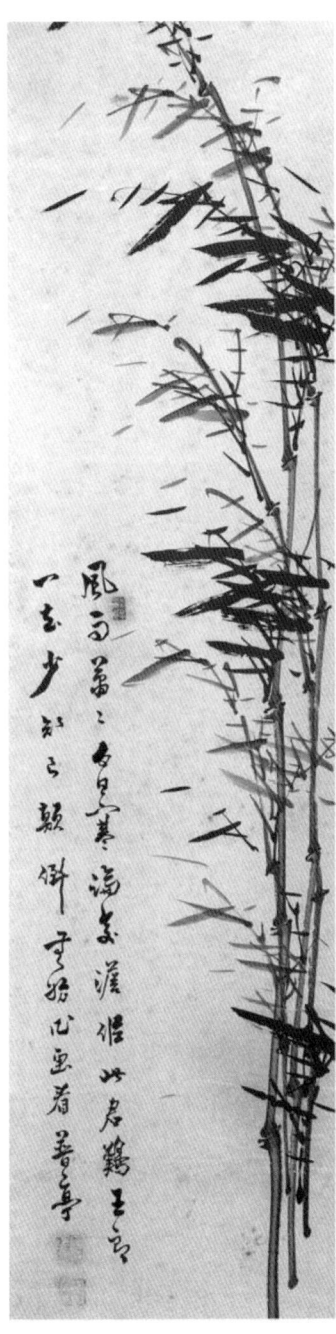

보정 김정회(普亭 金正會: 1903-1970)
묵죽도 8곡병(Ⅱ)_04
종이에 먹
31 x 123

風雨蕭蕭白日寒, 論便澹似此君難.
王郞一去少知己, 顚倒無妨作畵看.
普亭

비바람 소슬하게 불어 한낮에도 싸늘한데
차군(대나무)처럼 담박하기란 쉽지 않다고들 말하네.
왕랑이 한 번 가버린 이후에 지기(知己)가 적으니,
차라리 대나무 그려 곁에 두고 보아도 무방하리라.
보정

보정 김정회(普亭 金正會: 1903-1970)
묵죽도 8곡병(II)_05
종이에 먹
31 x 123

脩脩江上林, 白日暗風雨.
下有萬玉虯, 三冬臥寒土.
普亭

훌훌한 강가의 숲에
밝게 빛나던 태양도 비바람에 어두워져 버렸네.
(숲)아래에는 만 글자 옥근전과 같은 전서 모양으로
여러 갈래 대나무 뿌리가 얽혀
가장 추운 겨울날 찬 흙 위에 누워 있네.
보정

보정 김정회(普亭 金正會: 1903-1970)
묵죽도 8곡병(II)_06
종이에 먹
31 x 123

竹裏編茅倚石門, 竹莖疎處見前邨.
閑眠盡日無人到, 自有春風爲掃門.
普亭

대숲에 띠집 짓고서 돌문에 기대어 서 있자니
성근 대나무 사이로 펼쳐진 마을 보이네.
온종일 누워 잠을 자도 찾아오는 이 없는데
봄바람만 문 앞을 쓸고 지나가네.
보정

45

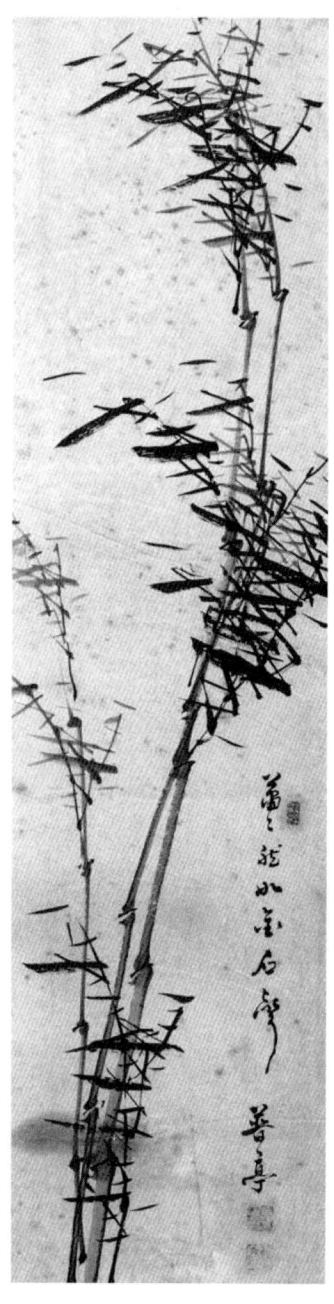

보정 김정회(普亭 金正會: 1903-1970)
묵죽도 8곡병(II)_07
종이에 먹
31 x 123

蕭蕭然如金石聲.
普亭

소슬한 댓잎소리
악기 소리와 같도다.
보정

보정 김정회(普亭 金正會: 1903-1970)
묵죽도 8곡병(II)_08
종이에 먹
31 x 123

梅竹相逢說肝膽,
梅多淸淡竹多寒.
普亭

매화 대나무 서로 만나 속마음 이야기하니
매화는 청담함이 많고 대나무는 서늘함이 많도다.
보정

47

보정 김정회(普亭 金正會: 1903-1970)
난죽석도 10곡병(Ⅳ)_01
종이에 먹
32 x 124.5

誰憐勁節生來瘦,
自許高材老更剛.
普亭

누가 (대나무의) 줄기와 마디가
날 때부터 야위었다고 안타까워하는가!
저 스스로 고상한 재주 뽐내면서
늙어갈수록 더욱 단단해지는 것을.
보정

48

보정 김정회(普亭 金正會: 1903-1970)
난죽석도 10곡병(Ⅳ)_03
종이에 먹
32 x 124.5

梅竹相逢說肝膽,
梅多淸淡竹多寒.
普亭

매화 대나무 서로 만나 속마음 이야기하니
매화는 청담함이 많고 대나무는 서늘함이 많도다.
보정

49

보정 김정회(普亭 金正會: 1903-1970)
난죽석도 10곡병(Ⅳ)_05
종이에 먹
32 x 124.5

春風一夜打新篁,
解籜抽梢萬尺長.
普亭

봄바람이 밤새 불어 새로 난 대나무를 때리니,
그 대나무 껍질 벗겨지며 나무 끝 뽑아져 올라와
만 척 높이 자라나네.
보정

보정 김정회(普亭 金正會: 1903-1970)
난죽석도 10곡병(Ⅳ)_07
종이에 먹
32 x 124.5

石上高節.

普亭

돌 위의 대나무 높은 절개를 뽐내네.

보정

51

보정 김정회(普亭 金正會: 1903-1970)
난죽석도 10곡병(Ⅳ)_09
종이에 먹
32 x 124.5

蕭蕭然有君子之風.
普亭

소슬한 너의 모습
군자의 풍모를 지녔도다.
보정

보정 김정회(普亭 金正會: 1903-1970)
난죽석도 10곡병(V)_02
종이에 먹
35 x 135

風雨蕭蕭白日寒, 論便澹似此君難.
王郞一去少知己, 顚倒無妨作畵看.
普亭

비바람 소슬하게 불어 한낮에도 싸늘한데
차군(대나무)처럼 담박하기란 쉽지 않다고들 말하네.
왕랑이 한 번 가버린 이후에 지기(知己)가 적으니,
차라리 대나무 그려 곁에 두고 보아도 무방하리라.
보정

53

보정 김정회(普亭 金正會: 1903-1970)
난죽석도 10곡병(V)_04
종이에 먹
35 x 135

竹有香惟杜文貞先道得.
其詩曰: 雨洗姸姸淨, 風吹細細香.
普亭

대나무에도 향기가 있음은 두문정(두보)만이 먼저 그
도리(道理)를 터득하였다.
그 시에 다음과 같은 구절이 있다.
"비에 씻기면 말갛게 깨끗해지고,
바람 불면 은은히 향기 풍기네."
보정

54

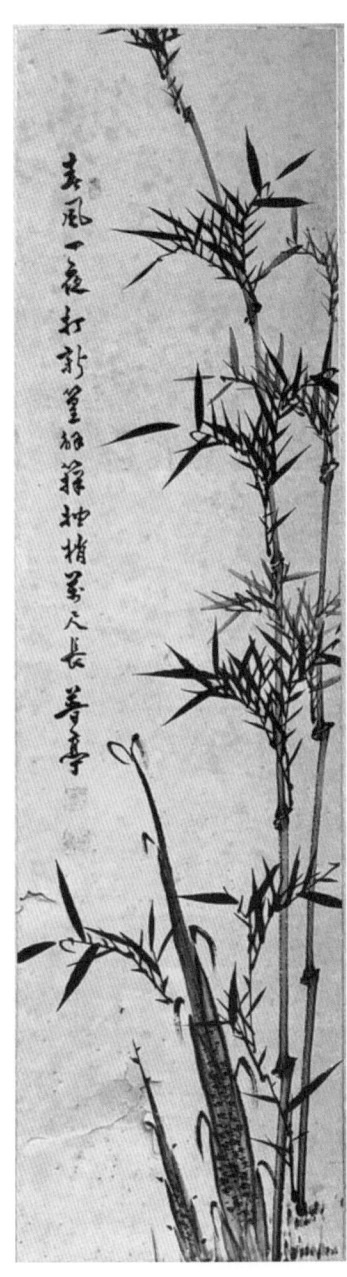

보정 김정회(普亭 金正會: 1903-1970)
난죽석도 10곡병(V)_05
종이에 먹
35 x 135

春風一夜打新篁,
解籜抽梢萬尺長.
普亭

봄바람이 밤새 불어 새로 난 대나무를 때리니,
그 대나무 껍질 벗겨지며 나무 끝 뽑아져 올라와
만 척 높이 자라나네.
보정

55

보정 김정회(普亭 金正會: 1903-1970)
난죽석도 10곡병(Ⅴ)_08
종이에 먹
35 x 135

風微成莞笑,
風緊不平鳴.
未得伶倫採,
空含大樂聲.
普亭

산들바람 불어오면 빙그레 웃고
바람이 거세지면 불만스레 우네.
아직 진정한 악공을 만나지 못해
부질없이 큰 음악만 머금고 있네.
보정

56

보정 김정회(普亭 金正會: 1903-1970)
난죽석도 10곡병(V)_10
종이에 먹
35 x 135

何其壯也.

爲 芳山大仁雅賞.

普亭

어찌 그리도 건장하신가요?
방산대인(芳山大仁)이 우아하게 감상하시길 빌며.
보정

57

보정 김정회(普亭 金正會: 1903-1970)

묵죽(V)

종이에 먹

135 × 40

不可一日無此君.
普亭

하루라도 차군(대나무) 없이 살 수 없다네.
보정

58

보정 김정회(普亭 金正會: 1903-1970)
묵죽(VI)
종이에 먹
35 x 135

老當益壯.

普亭

나이를 먹을수록 더욱 씩씩해지다.

보정

59

보정 김정회(普亭 金正會: 1903-1970)
난죽석도 10곡병(Ⅵ)_01
종이에 먹
33 x 124

峽口花盡, ☐鳥☐稀.

山牕淸陰, 待我歸來.

普亭

골짜기에 꽃은 다 지고

꾀꼬리조차 드물어졌는데,

산속에 지은 내 집 창가의 푸른 대나무 맑은 그늘은

내가 돌아오기를 기다리고 있네.*

보정

*이 제화시는 당나라 시인 전기(錢起:772-780)의 「暮春歸故山草堂」(一作「晩春歸山居題窓前竹」)의 시로부터 의미를 취한 것으로 보인다. 그 시를 해석해보면 다음과 같다. "골짜기에 봄은 다하고 꾀꼬리도 드물어 졌으며, 신이화(목련꽃)도 다 지고 살구꽃도 바람에 날리네. 이제야 비로소 내가 사는 산 집의 창가에 있는 대나무만이 사시사철 맑은 그늘을 고치지 않은 채 내가 돌아오기를 기다리는 모습이 아름다움을 알게 되었네.(谷口春殘黃鳥稀, 辛夷花盡杏花飛. 始憐幽竹山窗下, 不改淸陰待我歸.)" 이러한 시의를 통해서 본다면 "☐鳥☐稀"구는 "鶯鳥猶稀(꾀꼬리조차 드물어 졌는데)"로 해석할 수 있을 것이다.

보정 김정회(普亭 金正會: 1903-1970)
난죽석도 10곡병(Ⅵ)_03
종이에 먹
33 x 124

洒(灑)然有君子之風.
普亭

씻은 듯이 청량한 너의 모습, 군자의 풍모를 지녔구나.
보정

61

보정 김정회(普亭 金正會: 1903-1970)
난죽석도 10곡병(Ⅵ)_05
종이에 먹
33 x 124

不可一日無此君.
普亭

하루라도 차군(대나무) 없이 살 수 없다네.
보정

62

보정 김정회(普亭 金正會: 1903-1970)
난죽석도 10곡병(Ⅵ)_07
종이에 먹
33 x 124

竹亦有香, 人罕知之.
杜文貞詩曰: 雨洗姸姸淨, 風吹細細香.
普亭

대나무에도 향기가 있건만
그것을 아는 사람이 드물다.
두문정(두보)의 시에 다음과 같은 구절이 있다.
"비에 씻기면 말갛게 깨끗해지고,
바람 불면 은은히 향기 풍기네."
보정

63

보정 김정회(普亭 金正會: 1903-1970)
난죽석도 10곡병(Ⅵ)_09
종이에 먹
33 x 124

風微成莞笑,
風緊不平鳴.
未得伶倫採,
空含大樂聲.
普亭

산들바람 불어오면 빙그레 웃고
바람이 거세지면 불만스레 우네.
아직 진정한 악공을 만나지 못해
부질없이 큰 음악만 머금고 있네.
보정

64

보정 김정회(普亭 金正會: 1903-1970)
난죽석도 10곡병(Ⅶ)_02
종이에 먹
32 x 125

纔出地上, 便有凌雲之氣.
普亭

이제 막 땅 위로 돋아났는데도
구름을 능가하는 기세가 있구나.
보정

보정 김정회(普亭 金正會: 1903-1970)
난죽석도 10곡병(Ⅶ)_04
종이에 먹
33 x 125

蕭蕭然如金玉之聲.

普亭

소슬한 댓잎소리
악기 소리와 같도다.

보정

보정 김정회(普亭 金正會: 1903-1970)
난죽석도 10곡병(Ⅶ)_06
종이에 먹
33 x 125

風微成莞笑,
風緊不平鳴.
未得伶倫採,
空含大樂聲.
普亭

산들바람 불어오면 빙그레 웃고
바람이 거세지면 불만스레 우네.
아직 진정한 악공을 만나지 못해
부질없이 큰 음악만 머금고 있네.
보정

보정 김정회(普亭 金正會: 1903-1970)
난죽석도 10곡병(Ⅶ)_08
종이에 먹
33 x 125

石壽節淸.

普亭

돌은 장수하고 대나무의 절개는 맑도다.

보정

68

보정 김정회(普亭 金正會: 1903-1970)
난죽석도 10곡병(Ⅶ)_10
종이에 먹
32 x 125

歲寒高節.
甲辰嘉排日.
普亭

세한의 높은 절개.
갑진년 가배일(추석).
보정

69

보정 김정회(普亭 金正會: 1903-1970)

묵죽(Ⅶ)

종이에 먹

老幹抱孫.

丙午新春.

普亭

할아버지 대나무가 어린 손자를 안고 있네.

병오년 새해.

보정

70

보정 김정회(普亭 金正會: 1903-1970)
묵죽도 10곡병(II)_01
종이에 먹
32 x 120

石室先生以書法畵竹, 山谷道人以畵竹法作書.
東坡居士兼是二者, 爲風枝雨葉, 則偃蹇猗*斜,
爲疎稜勁節, 卽挺挺直上.

淵堂

석실선생은 글씨를 쓰는 방법으로 대나무를 그렸고,
산곡도인은 대나무를 그리는 방법으로 글씨를 썼다네.
동파거사는 이 두 가지를 겸비하였으니,
바람에 날리는 가지와 비 맞은 잎사귀 그리면서는
성대하고 기울게 그렸고
성기고 모나며 굳센 마디 그리면서는
곧게 뻗어나가게 그리곤 하였지.
연당

*猗(의): 보정 선생의 다른 작품에는 이 글자가 '頙(의)'로 되어 있다.

71

보정 김정회(普亭 金正會: 1903-1970)
묵죽도 10곡병(II)_02
종이에 먹
32 × 120

月上分淸影,
風來傳好音.
淵堂

달이 솟자 맑은 그림자 나뉘고,
바람 불자 좋은 소리 들려주네.
연당

72

보정 김정회(普亭 金正會: 1903-1970)
묵죽도 10곡병(II)_03
종이에 먹
32 x 120

誰憐勁節生來瘦,
自許高材老更剛.
淵堂

누가 (대나무의) 줄기와 마디가
날 때부터 야위었다고 안타까워하는가!
저 스스로 고상한 재주 뽐내면서
늙어갈수록 더욱 단단해지는 것을.
연당

보정 김정회(普亭 金正會: 1903-1970)
묵죽도 10곡병(II)_04
종이에 먹
32 x 120

竹亦有香, 人罕知之.
杜文貞詩曰: 雨洗姸姸淨, 風吹細細香.
淵堂

대나무에도 향기가 있건만
그것을 아는 사람이 드물다.
두문정(두보)의 시에 다음과 같은 구절이 있다.
"비에 씻기면 말갛게 깨끗해지고,
바람 불면 은은히 향기 풍기네."
연당

보정 김정회(普亭 金正會: 1903-1970)
묵죽도 10곡병(II)_05
종이에 먹
32 x 120

仙石壇有竹嬋姸蒼翠,
風來枝動掃石無塵.
淵堂

선석(仙石) 위의 대나무 곱디곱고 푸르디푸른데,
바람 불면 가지 움직여 비질하니 돌 위에는 티끌도 없네.
연당

75

보정 김정회(普亭 金正會: 1903-1970)
묵죽도 10곡병(II)_06
종이에 먹
32 x 120

石壽節高.

淵堂

돌은 장수하고 대나무의 절개는 높도다.

연당

보정 김정회(普亭 金正會: 1903-1970)
묵죽도 10곡병(II)_07
종이에 먹
32 x 120

不可一日無此君.

淵堂

하루라도 차군(대나무) 없이 살 수 없다네.

연당

보정 김정회(普亭 金正會: 1903-1970)
묵죽도 10곡병(II)_08
종이에 먹
32 x 120

風雨蕭蕭白日寒, 世間澹似此君難.
王郎一去少知己, 顚倒無妨作畫看.
淵堂

비바람 소슬하게 불어 한낮에도 싸늘한데
차군(대나무)처럼 담박하기란 쉽지 않다고들 말하네.
왕랑이 한 번 가버린 이후에 지기(知己)가 적으니,
차라리 대나무 그려 곁에 두고 보아도 무방하리라.
연당

보정 김정회(普亭 金正會: 1903-1970)
묵죽도 10곡병(Ⅱ)_09
종이에 먹
32 x 120

梅竹相逢說肝膽,
梅多淸淡竹多寒.
淵堂

매화 대나무 서로 만나 속마음 이야기하니
매화는 청담함이 많고 대나무는 서늘함이 많도다.
연당

79

보정 김정회(普亭 金正會: 1903-1970)
묵죽도 10곡병(II)_10
종이에 먹
32 x 120

雪滿窮衖惟君獨靑.

峕癸巳秋仲.

淵堂

눈 가득 쌓인 궁벽한 거리에 오직 그대만이 푸르구나.
때는 계사년 중추이다.
연당

보정 김정회(普亭 金正會: 1903-1970)
사군자 10곡병_02
종이에 먹
32.5 x 110

凌霜自有良朋友,

過雨時添好子孫.

普亭

서리를 견뎌내는 너는 절로 훌륭한 벗이 있을 테고
비 지난 뒤에는 훌륭한 자손들도 자꾸만 늘어나는구나.

보정

보정 김정회(普亭 金正會: 1903-1970)
사군자 10곡병_04
종이에 먹
32.5 x 110

石壽節淸.

普亭

돌은 장수하고 대나무의 절개는 맑도다.

보정

보정 김정회(普亭 金正會: 1903-1970)
사군자 10곡병_06
종이에 먹
32.5 x 110

蕭蕭然如金石之聲.

普亭

소슬한 댓잎 소리
악기소리와 같도다.
보정

보정 김정회(普亭 金正會: 1903-1970)
사군자 10곡병_08
종이에 먹
32.5 x 110

風來枝動掃石無塵.

普亭

바람 불면 가지 움직여 비질하니 돌 위에는 티끌도 없네.

보정

보정 김정회(普亭 金正會: 1903-1970)
사군자 10곡병_10
종이에 먹
32.5 x 110

歲寒高節.

朴女史雅賞.

癸卯端陽日.

普亭

추운 겨울 높은 절개를 드러내고 있네.
박 여사께서 아름답게 보아주시기 바라며.
계묘년 단오일.
보정

보정 김정회(普亭 金正會: 1903-1970)

풍죽 8곡병

종이에 먹

32.5 x 122

(2-3면)

寧可食無肉, 不可居無竹.

無肉令人瘦 無竹使人俗.

人瘦尙可肥, 無竹不可醫.

傍人笑此語, 似高還似癡.

苦對此君仍大嚼, 世間那有揚州鶴.

士俗庚戌秋八月雨中 爲 湖雲大仁雅賞 普亭老友

차라리 고기 없이 먹을지언정 대나무 없이 살수 없네.

고기가 없다면 사람을 야위게 할 뿐이지만

대나무가 없다면 사람을 속스럽게 만든다네.

사람이 야위면 오히려 살찔 수 있지만

대나무가 없으면 속스러워진 사람을 고칠 수 없다네.

옆 사람이 이 말을 듣고 웃으며

고상하기도 하고 어리석기도 한 말이라고 하네.

이 군자(대나무)를 대하고서도 여전히 진수성찬 찾는다면

세간에 어찌 학을 타고 양주목사로 간다는 말이 있겠는가.

속된 선비가 경술년 가을 팔월 비오는 날에

어진 친구 호운이 아름답게 감상해주기를 바라며.

늙은 벗 보정.

86

보정 김정회(普亭 金正會: 1903-1970)

묵죽(Ⅷ)

종이에 먹

102.5 × 30.5

可以醫俗.

時丙午春.

普亭

속스러움을 고쳐주는 존재 대나무

병오년 봄.

보정

보정 김정회(普亭 金正會: 1903-1970)
묵죽(Ⅸ)
종이에 먹
129 × 32

詩窓翠雨.
己亥秋初爲 湖雲君作.
紫雲山人

시창(詩窓) 밖 대숲에 내리는 비
기해년 초가을 호운 군을 위하여 그리다.
자운산인

88

보정 김정회(普亭 金正會: 1903-1970)

묵죽(X)

종이에 먹

125 × 32.5

滿院淸風, 可以醫天下之俗.
紫雲山人

뜰에 가득히 불어오는 맑은 바람이 세상의 속스러움을 고쳐주네.
자운산인

89

보정 김정회(普亭 金正會: 1903-1970)

묵죽(XI)

종이에 먹

125 × 32

不可一日無此君.

紫雲山人

하루라도 차군(대나무) 없이는 살 수 없다네.

자운산인

4. 기타 유묵

01

보정 김정회(普亭 金正會: 1903-1970)
묵모란
종이에 먹
135 × 34.5

爲王在香.

普亭

(꽃 중의) 왕이 됨은 향기에 달려있다.

보정

02

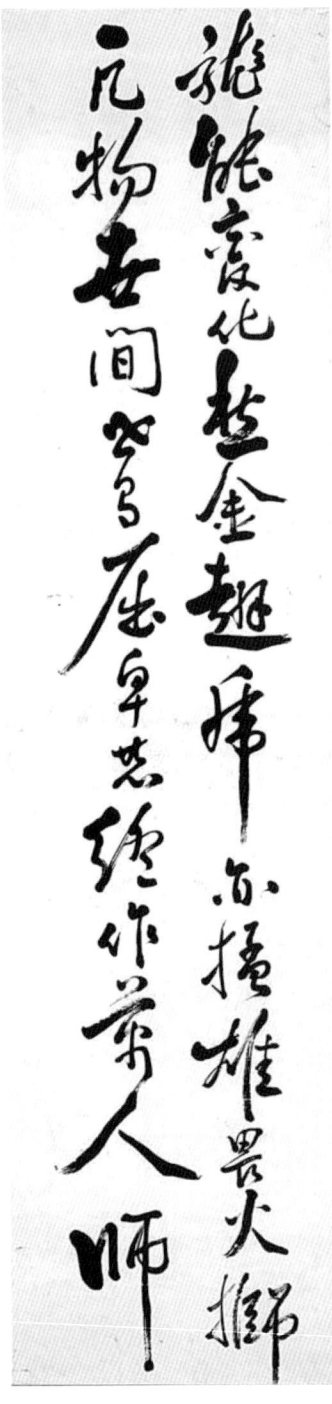

보정 김정회(普亭 金正會: 1903-1970)
행서 2곡병_01
종이에 먹
55.1 x 154

龍能變化愁金翅, 虎亦猛雄畏火獅.
凡物世間老有屈, 卑恭終作萬人師.

용은 변화할 수 있지만 금시조(金翅鳥)를 근심하고,
호랑이 또한 맹수 중 으뜸이나 불사자[火獅]는 두려워하는 법.
세간의 모든 물건 노성하면 강해지나니,
자기를 낮추고 공손히 하면 끝내 만인의 스승이 되리라.

03

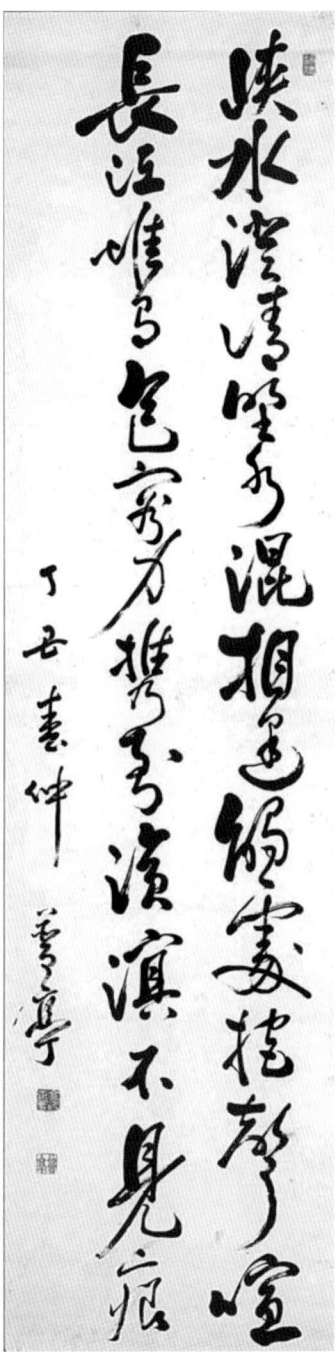

보정 김정회(普亭 金正會: 1903-1970)
행서 2곡병_02
종이에 먹
55.1 x 154

峽水澄淸野水混, 相逢觸處抱聲喧.
長江惟有包容力, 携到滄溟不見痕.
丁巳春仲.
普亭

협곡의 물은 맑고 들판의 물은 탁하니,
서로 만나 부딪치는 소리 요란하네.
오직 장강만이 포용력 있어,
물줄기 이끌고 큰 바다에 이르러서도 흔적 찾아볼 수 없네.
정사년 음력 2월.
보정

04

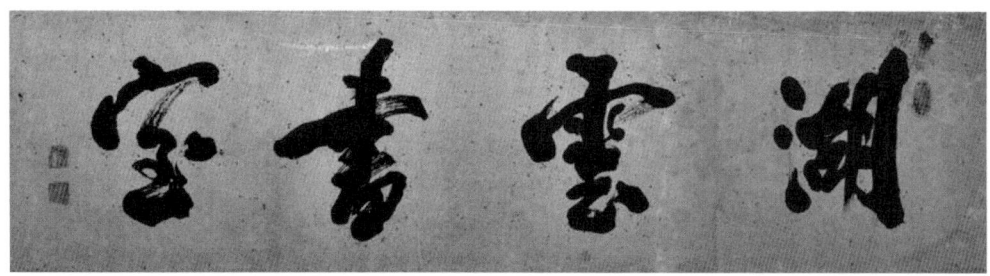

보정 김정회(普亭 金正會: 1903-1970)
호운서실
종이에 먹
122 × 32

湖雲書室

호운서실

05

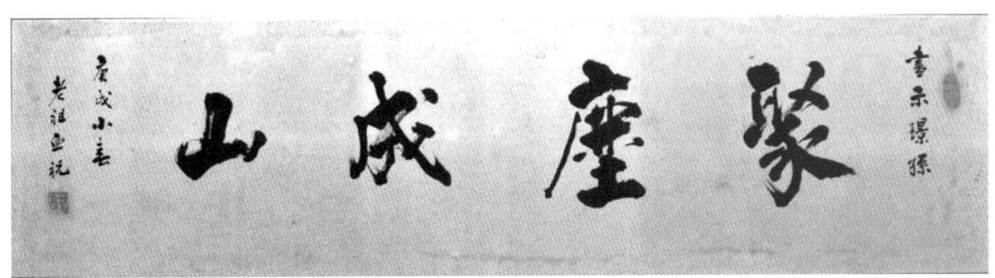

보정 김정회(普亭 金正會: 1903-1970)

취진성산

종이에 먹

116 × 30

聚塵成山.

書示環孫.

庚戌小春 老祖血祝

티끌을 모아 산을 이룬다.

경(環) 손자에게 써주는 글.

경술년 시월 늙은 할아버지가 진심으로 축원한다.

06

보정 김정회(普亭 金正會: 1903-1970)
행서 8곡병_01
종이에 먹
33 x 127

花爛春城萬和方暢,
丈夫之氣像.

꽃이 봄성에 난만하게 피어 만물의 화락함이 바야흐로
펼쳐지는 것은 장부의 기상이로다.

07

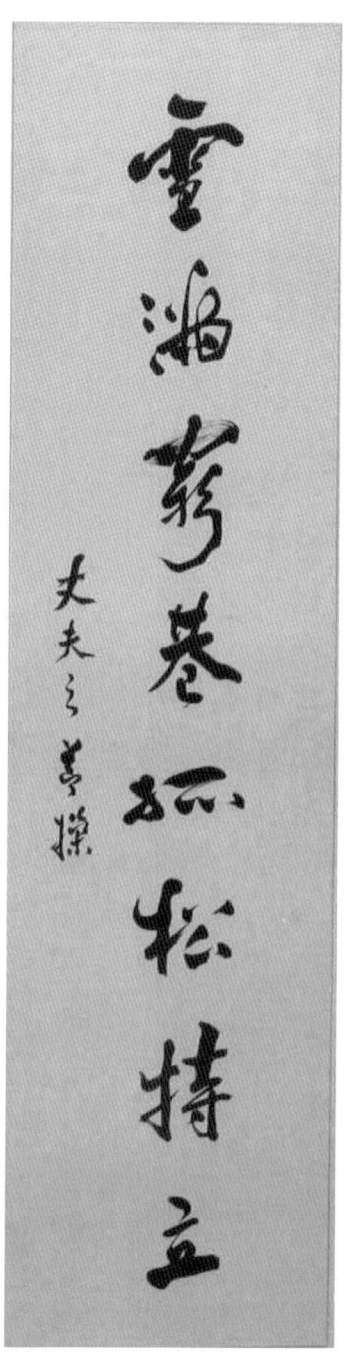

보정 김정회(普亭 金正會: 1903-1970)
행서 8곡병_02
종이에 먹
33 x 127

雪滿窮巷孤松特立,
　　丈夫之節操.

궁벽한 마을에 눈이 가득 쌓였어도 외로운 소나무 한 그루
특별히 우뚝 서 있는 것은 장부의 절조로다.

보정 김정회(普亭 金正會: 1903-1970)
행서 8곡병_03
종이에 먹
33 x 127

鳳翔千仞飢不啄粟,
丈夫之廉恥.

봉황새 천 길 높이 나는데 배가 고파도 곡식을 쪼아 먹지 않는 것은 장부의 염치로다.

보정 김정회(普亭 金正會: 1903-1970)
행서 8곡병_04
종이에 먹
33 x 127

鴻鳴水國飛必含蘆,
丈夫之智慧.

큰 기러기 물가를 울며 날 때 반드시 갈대를 물고 나는
것은 장부의 지혜로다.

10

보정 김정회(普亭 金正會: 1903-1970)
행서 8곡병_05
종이에 먹
33 x 127

泰山喬嶽巍乎高大,
丈夫之威儀.

큰 산 높은 멧부리, 높고 우람하니 장부의 위의로다.

보정 김정회(普亭 金正會: 1903-1970)
행서 8곡병_06
종이에 먹
33 x 127

北海南溟渺無涯岸,
丈夫之度量.

북쪽 바다, 남쪽 바다처럼 아득하여 끝이 없는 것은 장부의 도량이로다.

12

보정 김정회(普亭 金正會: 1903-1970)
행서 8곡병_07
종이에 먹
33 x 127

光風霽月淨無塵埃,
丈夫之胸懷.

갠 하늘에 밝은 달처럼 깨끗하여 티끌과 먼지라고는
없음은 장부의 흉회로다.

보정 김정회(普亭 金正會: 1903-1970)
행서 8곡병_08
종이에 먹
33 x 127

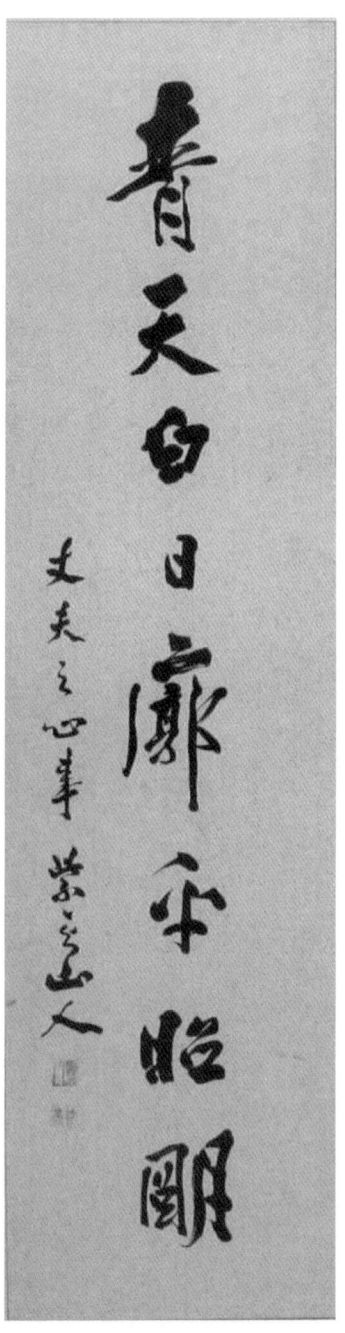

青天白日廓乎昭明,
丈夫之心事.
紫雲山人

푸른 하늘에 밝은 태양처럼 확연히 밝고 뚜렷한 것은
장부의 심사로다.
자운산인

14

보정 김정회(普亭 金正會: 1903-1970)
가구(佳句) 4곡병_01
종이에 먹

光風霽月

갠 하늘에 밝은 달

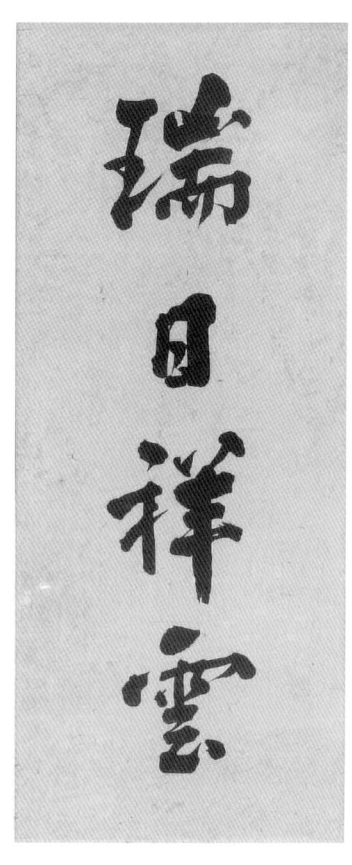

보정 김정회(普亭 金正會: 1903-1970)
가구(佳句) 4곡병_02
종이에 먹

瑞日祥雲

상서로운 날 상서로운 구름

보정 김정회(普亭 金正會: 1903-1970)
가구(佳句) 4곡병_03
종이에 먹

泰嶽氣像

태산과 같은 기상

17

보정 김정회(普亭 金正會: 1903-1970)
가구(佳句) 4곡병_04
종이에 먹

濟世經綸

세상을 구제할 수 있는 경륜

보정 김정회(普亭 金正會: 1903-1970)
고시(古詩) 8곡병_01
종이에 먹
33 x 108

借此雲牕眠, 靜夜心獨苦.
安得枕下泉, 去作人間雨.

구름 낀 창문을 빌려 잠들려 해도,
고요한 밤에 나 홀로 괴로운 이 마음.
어찌하면 내가 베고 누울 시냇물을 얻어
속세를 떠난 비가 되어 내릴까.

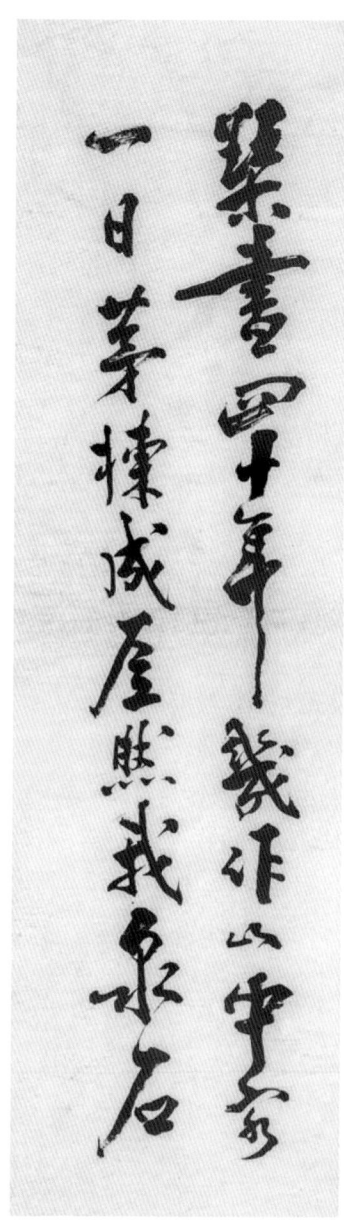

보정 김정회(普亭 金正會: 1903-1970)
고시(古詩) 8곡병_02
종이에 먹
33 x 108

琴書四十年, 幾作山中客.
一日茅棟成, 居然我泉石.

거문고와 책을 벗한 지 사십년,
몇 번이나 산중의 객이 되었던가.
하루 만에 띠집을 완성하고 나니,
어느덧 나도 자연과 한 몸이 되었네.

보정 김정회(普亭 金正會: 1903-1970)
고시(古詩) 8곡병_03
종이에 먹
33 x 108

晨窓林影開, 夜枕山泉響.
隱此復何求, 無言道心長.

새벽 창에 숲 그림자 어른거리고,
깊은 밤 베갯머리에선 산골 샘 소리.
여기에 은거하면서 다시 무엇을 구하리오,
말 하지 않아도 도심이 자라는 것을.

21

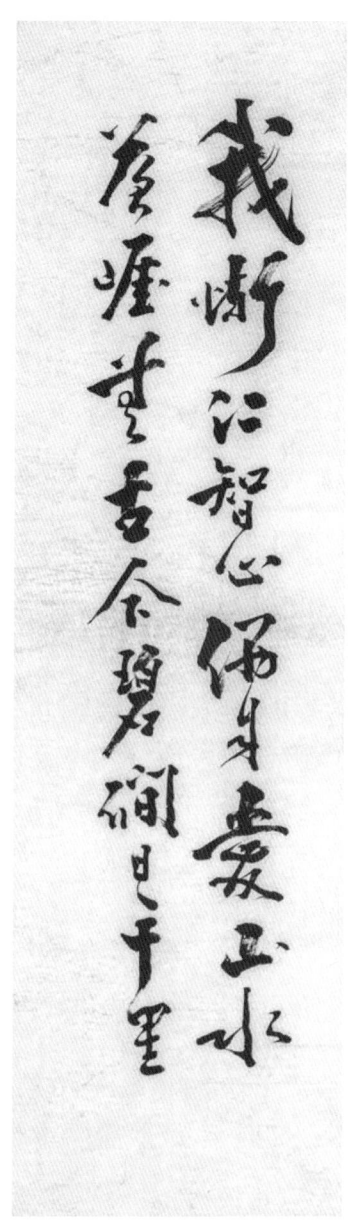

보정 김정회(普亭 金正會: 1903-1970)
고시(古詩) 8곡병_04
종이에 먹
33 x 108

我慚仁智心, 偶自愛山水.
蒼崖無古今, 碧澗日千里.

인자하고 지혜로운 마음 없어 부끄럽지만
우연히 산과 물을 사랑하게 되었네.
가파른 절벽은 예나 지금이나 변함없고
푸른 시내는 날마다 천리를 흐르네.

22

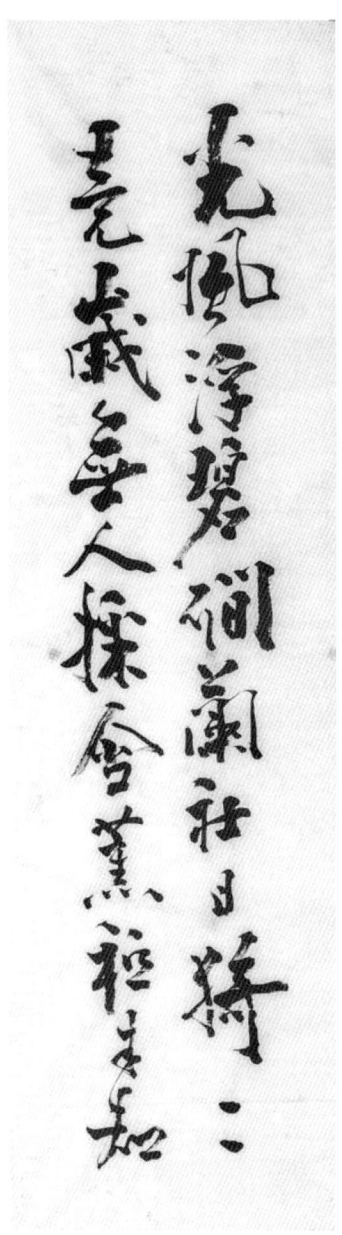

보정 김정회(普亭 金正會: 1903-1970)
고시(古詩) 8곡병_05
종이에 먹
33 x 108

光風浮碧磵, 蘭社日猗猗.
竟歲無人採, 含薰秪(只)自知.

푸른 골짜기에 밝은 기운이 감도니,
난초 떨기 날마다 무성해지누나.
한 해가 가도록 캐는 이 없으니,
머금은 그 향기 스스로만 알 뿐.

23

보정 김정회(普亭 金正會: 1903-1970)
고시(古詩) 8곡병_06
종이에 먹
33 x 108

松柏入冬靑, 方能見歲寒.
聲須風裏聽, 色更雪中看.

소나무 잣나무가 겨울을 맞아 더욱 푸르니,
바야흐로 날씨가 추워졌음을 알겠네.
솔바람 소리는 바람 속에서 듣고,
푸른색은 눈 속에서 보리라.

보정 김정회(普亭 金正會: 1903-1970)
고시(古詩) 8곡병_07
종이에 먹
33 x 108

安分身無憂, 知機心自閑.
雖居人世上, 却是出人間.

분수에 맞게 살면 몸에는 근심이 없고,
조짐을 잘 헤아리면 마음은 스스로 한가한 법.
(이런 사람이라면) 비록 속세에 살아도,
도리어 속세를 벗어난 사람이라고 할 수 있으리라.

25

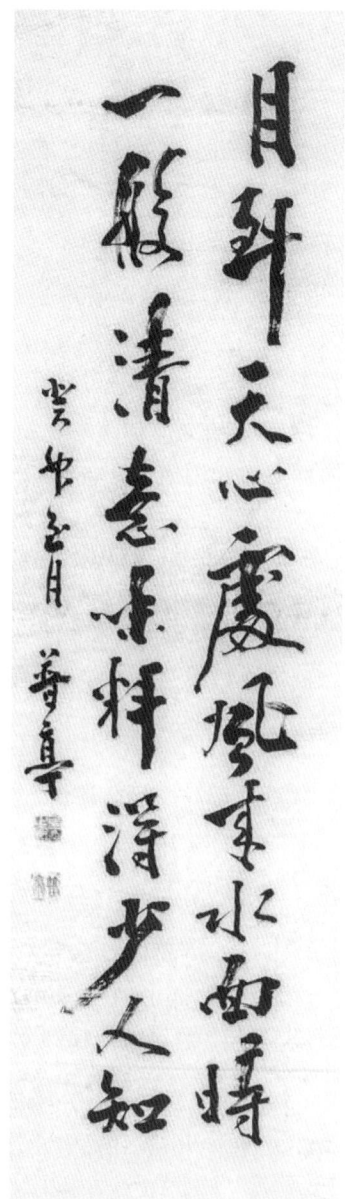

보정 김정회(普亭 金正會: 1903-1970)
고시(古詩) 8곡병_08
종이에 먹
33 x 108

月到天心處, 風來水面時.
一般淸意味, 料得少人知.
癸卯至月.
普亭

달은 하늘 가운데 떠있고
바람은 물 위에 살랑 불어올 때.
일반 사람들도 이러한 풍경의 맑은 의미를 느낄 테지만
이러한 경지를 깨달은 사람은 적겠지.
계묘년 동짓달.
보정

26

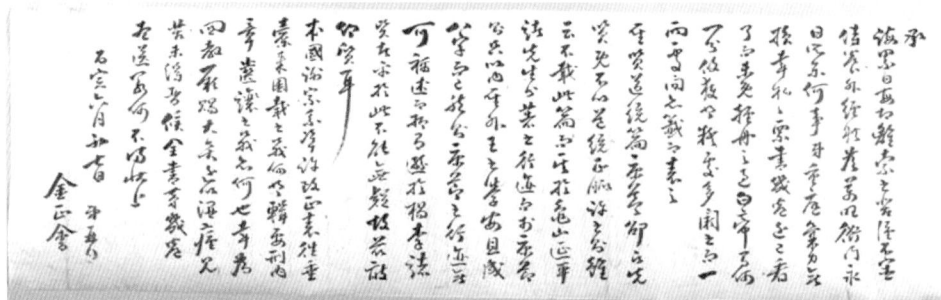

보정 김정회(普亭 金正會: 1903-1970)
간찰
종이에 먹

　　承誨. 累日每相離, 索書苦謹. 不審侍養外經體候萬旺. 衡門永日所示何事? 弟重庭氣力無損, 幸事幸事. 票書幾卷近已看了. 而未晩輕舟之過白帝則何一分有獲耶? 疑處多闕書而一兩處間亦籖而表之.
　　聖賢道統篇, 康節邵氏, 先賢旣不以道統正脈許之, 則雖云不載此篇, 而其於龜山延平諸先生, 則著之行迹而於康節, 則只以內聖外王之學安且成八字而已. 然則康節之行迹無可稱述, 則抑有遜於楊李諸賢者乎. 於此不能無疑故此敢仰質耳.
　　本國謝宗系準許改正表, 往垂橐來困載之義何耶? 輯要刑內章悏讓之義亦何也? 幸爲四敎闕賜大矣. 近以濕瘇見苦, 未得□候, 全書等幾卷盡送若何? 不備狀上.
　　丙寅六月初七日. 弟再拜金正會.

　　깨우쳐주심을 받았습니다. 여러 날 늘 서로 떨어져 있으매 편지를 찾기가(주고받기가) 어려웠습니다. 삼가 부모님을 모시고 사시는 외에도 건강이 여러 부분에서 왕성하시리라 생각됩니다. 누추한 집[衡門]에 오랫동안 무슨 새 소식이 있었겠습니까? 저는 부모님의 기력이 크게 손상됨이 없으시니 개인적으로 다행스럽고 다행스럽게 생각합니다. 표시해주신 책 몇 권은 근래에 다 보았으나 가벼운 배를 타고 빠르게 백제성을 지나치듯이 함①을 면치 못하였으니 어찌 일분(一分)이라도 얻은 바가 있겠습니까? 의심나는 곳은 대부분 제쳐두고 한두 장 사이에 책갈피를 끼워 표시하였습니다. (율곡 이이의)「성현도통편(聖賢道統篇)」②은 강절(康節) 소씨(邵氏)③ 선현을 이미 도통(道統)의 정맥(正脈)으로 허락하지 않은④ 즉 비록 이 편을 싣지 않았다고 하더라도, 구산(龜山)⑤과 연평(延平)⑥ 여러 선생에게 있어서는 행적이 드러나 있으나, 강절(康節)에게 있어서는 단지 내성외왕지학(內聖外王之學)⑦을 편안히 여김으로써 여덟 자⑧를 이루었을 따름입니다. 그러니 강절의 행적이 가히 칭하여 기술할 만한 것이 없다고 한 것입니까, 아니면 양시(楊時)와 이동(李侗) 등 제현(諸賢)에 손색이 있다고 한 것입니까? 이 부분에 있어 의심이 없을 수 없으니 이에 감히 우러러 질문을 드립니다.
　　(율곡 이이의)「본국의 종계를 바로잡는 것을 준허하여 주심에 감사드리는 표(本國謝宗系準許改正表)」⑨에서 빈 자루[垂橐]로 갔다가 수레를 가득 채워[稇載] 돌아온⑩ 고사의 의미는 무엇입니까?『성학집요(聖學輯要)』〈형내장(刑內章)〉⑪의 '悏讓'은 또한 어떤 뜻입니까? 다행히도 사교(四敎)⑫를 하사하심이 큽니다. 근래 습종(濕瘇)⑬을 당하여 직접 문후를 드리지 못합니다.『주자전서(朱子全書)』등 몇 권의 책을 전부 다 보내주시면 어떻겠습니까? 갖추지 못하고 답장 드립니다.
　　병인년(丙寅年:1926) 유월 초이렛날. 아우 김정회(金正會) 재배(再拜).

① 輕舟之過白帝(경주지과백제): 당나라 시인 이백(李白)의 「조발백제성(早發白帝城)」 시에 "어느새 가벼운 배는 만 겹의 산을 지나왔네.(輕舟已過萬重山)"라는 구절이 있음. 백제성(白帝城)은 지금의 중국 중경시 봉절현의 백제산에 있는 옛 성터임. 시의 내용은 가볍고 빠른 배를 타고 백제성에서 출발하여 하루 만에 강릉에 돌아왔다는 내용으로, 이 간찰에서는 '주마간산(走馬看山)'과 비슷한 의미로 쓰였음.

② 성현도통편(聖賢道統篇): 율곡(栗谷) 이이(李珥)의 『성학집요(聖學輯要)』8 「성현도통(聖賢道統)」으로, 『대학(大學)』의 이념이 실제적으로 실현된 자취를 도통(道統)이라는 줄기를 통해서 찾음.

③ 康節邵氏(강절소씨): 중국 북송(北宋)의 유학자 소옹(邵雍)으로, 강절(康節)은 그의 시호(諡號). 소옹은 주돈이(周敦頤)가 이기론(理氣論)을 세울 때에 상수론(象數論)을 제창하였음. 정이(程頤)·정호(程顥)와 주자(朱子)에 큰 영향을 미쳤음. 저서로는 『관물편(觀物篇)』·『황극경세서(皇極經世書)』·『이천격양집(伊川擊壤集)』 등이 있음.

④ 『성학집요(聖學輯要)』 제5편 「성현도통(聖賢道統)」에 다음과 같은 내용이 있음. "신이 생각건대, 강절(康節) 소씨(邵氏)는 안으로는 성인이요, 밖으로는 왕이 되기를 추구하는 학문[內聖外王之學]은 편안하게 여기고 성취하였으나, 선현들이 일찍이 그를 도통의 정맥(正脈)으로 인정하지 않았습니다. 그러므로 감히 여기에 싣지 않았습니다. 정문(程門)의 제자들 가운데는 사문(斯文)의 도를 보좌한 사람은 많았지만, 도를 전하는 임무를 맡을 수 있는 사람은 볼 수 없었습니다. 그러므로 정자(程子)와 장횡거(張橫渠) 뒤를 주자(朱子)로 이었습니다. 그러나 구산(龜山)은 정자에게서 수업하였고, 예장(豫章: 나종언(羅從彦))은 구산에게 수업하였으며, 연평(延平)선생은 예장에게서 배웠습니다..(臣按, 康節邵氏, 內聖外王之學, 安且成矣. 而先賢未嘗以道統正脈許之, 故不敢載于此. 程門弟子, 羽翼斯道者亦多, 而能荷傳道之任者, 亦不可見. 故程張之後. 繼之以朱子焉. 但龜山受學於程子, 豫章受學於龜山, 延平受學於豫章.)"

⑤ 구산(龜山): 중국 북송(北宋) 말의 유학자 양시(楊時: 1053-1135)로, 구산(龜山)은 그의 호. 이정자(二程子:정호·정이)의 도학을 전하여 낙학(洛學:이정자의 학파)의 대종(大宗)이 됨.

⑥ 연평(延平): 중국 북송(北宋)의 성리학자 이동(李侗: 1093-1163)으로, 연평(延平)은 그의 호.

⑦ 내성외왕지학(內聖外王之學): '내성외왕(內聖外王)'은 『장자(莊子)』「천하(天下)」에 나오는 말로, '안으로 성인의 경지를 갖추고 밖으로 왕의 도리를 행하는' 이상적인 제왕의 모습을 형용함. 정호(程顥)가 일찍이 소옹(邵雍)의 학문에 대해 '내성외왕지학(內聖外王之學)'이라 평한 바 있음.

⑧ 여덟자: 소옹(邵雍)이 수립한 상학(象學)의 8상(八象). 소옹은 천하 일체의 현상을 천지(天地)의 8상(八象)으로 귀착시킨 '상학(象學)'을 수립하였는데, 8상은 '일월성신(日月星辰)', '화수토석(火水土石)'임.

⑨ 본국사종계준허개정표(本國謝宗系準許改正表): 율곡(栗谷) 이이(李珥)가 쓴 응제문(應製文:임금의 명에 의해 지은 문장)의 하나. 이 문장은 종계변무(宗系辨誣:조선 초부터 선조 때까지 200여 년간 명나라에 잘못 기록된 태조 이성계의 세계를 시정해 달라고 주청했던 사건)와 관련한 문장으로, 선조는 율곡 이이로 하여금 「본국청개종계주본(本國請改宗系奏本)」을 쓰게 하여 명나라 황실에 종계변무사(宗系辨誣使)를 보냈고, 이후 명 황실에서 종계를 바로잡은 것에 대한 감사로 다시 이이로 하여금 본국사종계준허개정표(本國謝宗系準許改正表)를 쓰게 하여 명으로 보냈음.

⑩ '垂槖(수탁)'은 빈 자루라는 뜻이고, '稛載(균재)'는 수레에 가득 싣는 것을 뜻함. 『국어(國語)』「제어(齊語)」에 "제후의 사신들이 빈 자루를 늘어뜨리고 들어갔다가 수레를 가득 채워 돌아왔다.(諸侯之使, 垂槖而入, 稛載而歸.)"라는 내용이 있음. 간찰에서는 '困載(곤재)'라고 하였는데 '稛載(균재)'의 오기(誤記)임.

⑪ 『성학집요(聖學輯要)』〈형내장(刑內章)〉: 율곡(栗谷) 이이(李珥: 1536-1584)의 『성학집요(聖學輯要)』5「정가편(正家篇)〈형내장(刑內章)〉. 『성학집요(聖學輯要)』는 제왕의 학문 내용을 정리해 바친 책으로, 8편으로 구성되어 있음. 〈형내장(刑內章)〉은 아내에게 법도에 맞는 모범을 보이어 집안을 다스리고 나아가 나라를 다스려야한다는 내용으로, 선(善)을 본받을 만한 전고와 악(惡)을 경계할 만한 전고를 인용하고 있음.

⑫ 사교(四敎): 유교에서의 네 가지 가르침으로, 시(詩)·서(書)·예(禮)·악(樂) 또는 문(文)·행(行)·충(忠)·신(信) 또는 부덕(婦德)·부언(婦言)·부용(婦容)·부공(婦功)을 뜻함.

⑬ 습종(濕瘇): 습종(濕腫). 다리에 나는 부스럼의 한 가지.

■ 이 간찰은 보정 김정회가 1926년 23세에 보낸 답장편지로, 수신자는 확인되지 않음. 수신자는 보정보다 선배로 보임. 편지 내용은 앞서 수신자가 편지와 함께 여러 책을 보내주어 보정이 그것을 읽고 의문점을 묻고 있는데, 편지 내용으로 보아 보내준 책은 주로 율곡(栗谷) 이이(李珥)의 『성학집요(聖學輯要)』와 「본국사종계준허개정표(本國謝宗系準許改正表)」인 듯함.

27

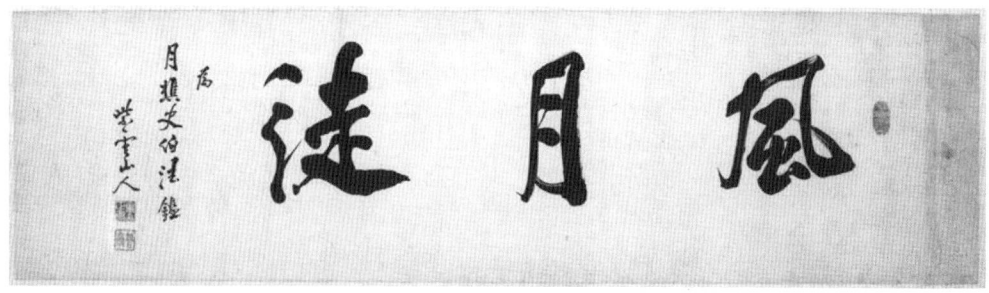

보정 김정회(普亭 金正會: 1903-1970)

행서횡액

종이에 먹

114 x 32

風月徒.

爲 月樵史伯法鑑.

紫雲山人

바람과 달을 좇는 사람들.

월초사백께서 법감(法鑑)해주시기를 바라며.

자운산인

Ⅲ
에필로그

– 시서화(詩書畵)를 통해 살펴본 보정 김정회의
  일생과 학문, 그리고 예술세계

연대표시 : 서기

1. 들어가기

앞의 보정 김정희 선생의 생애에서 인식할 수 있듯이 보정 김정회라는 인물은 전북 고창 출신 서화가로서 격변의 근대기를 살아낸 인물이다. 고창에 있는 보정의 생가는 현재 시도민속문화재 제29호로 지정되어 있다. 그러나 고창의 역사·문화인물을 발굴하고 그들의 행적을 조명하려는 시도에 있어서 보정 김정회의 일생과 학문·예술에 대한 열정은 지금까지 이렇다 할 연구와 규명이 부족했던 것이 사실이다.[1]

보정 김정회 고가(전북민속자료 제29호)

---

[1] 이는 지금까지 보정 김정회에 관한 연구 현황을 살펴보아도 확인할 수 있다. 보정 김정회와 관련된 연구 논문은 발표된 바가 없고, 1978년에 그의 유고문집인 『연연당문고(淵淵堂文稿)』가 출간된 이후에도 그의 사상·예술을 종합적으로 고찰한 시도는 없었다. 다만, 2018년에 보정의 시를 모아 번역·주해한 『梅妻를 찾아가네: 보정 김정회 선생 시집』이 출간됨으로써 보정의 문학적 일면을 살펴보고자 했던 시도는 고무적이라할 만하다.

이에 본고에서는 『연연당문고(淵淵堂文稿)』에 실려 있는 보정의 시를 통해 격변의 근대기를 살아냈던 그의 일생을 조명하고, 아울러 그의 학문적 면모와 서화 예술에 대한 열정을 되짚어보고자 한다.

2. 보정의 일생과 격변의 근대기

보정이 살았던 시기는 일본의 침략으로 인해 망국의 한(恨)의 정서가 짙게 깔린 채로 혼돈과 극심한 변화가 지속되던 시기였다. 일본은 무단통치에 의한 동화기반을 조성하는 수준을 넘어서서 중일전쟁을 거치면서 노골적인 동화정책을 강요하기 시작했다. 이에 문명화를 명분으로 문명동화·언어동화·역사교육에 역점을 두면서 조선인의 고유성과 독자성을 인정하지 않았으나 많은 조선인들은 일본의 동화 시도에도 불구하고 식민체제 속으로 완전히 흡수되기를 거부하였다.[2]

이러한 시대적 면모는 보정이 남긴 시에도 잘 드러나 있다. 다음의 시 두 편을 차례대로 살펴보자.

〈삼가 월담(月潭)의 〈지감(志感)〉 시의 운(韻)을 차운하여 짓다. 서문이 있다.〉

대한제국 광무(光武) 을사년(1905)에 나라에는 을사늑약(乙巳勒約)이라는 대변고가 생겨, 면암(勉菴) 최익현(崔益鉉) 선생이 담양 용추산(龍秋山)에서 의병을 모집할 때, 김성암 선생이 기송사, 고록천 등과 함께 의로운 동맹을 맺으려 담양 용추산으로 달려가 산고개 화개동에 도착하여 바로 전투에 돌입했다. 의병들의 돌격하는 북소리가 크게 진동하고 분투했지만 결국 병력(兵力)이 적어 적(敵)을 막기 어려웠다. 비록 뜻을 이루지는 못했으나, 그 외로이 충성을 다하는 일편단심만은 천지신명(天地神明)도 헤아려 줄 것이다. 그 후 황제의 밀칙(密勅)으로 정삼품(正三品) 당상관으로 특진하였다. 서기 1945년 광복이 된 후에 손자(孫子)인 재석(載石)이 나에게 "구함개제주(具銜改題主)[3]"를 부탁함으로 그 때에 지은 감음시(感吟詩)가 있어, 그 운을 따서 경모(景慕)하며 사숙(私淑)하는 뜻을 시(詩)로 적어 부친다.

---

2) 김신재, 〈일제강점기 조선총독부의 지배정책과 동화정책〉, 《동국사학》 제60집, 2016, 215-217쪽 참고.
3) '구함'은 벼슬의 품계·본직(本職)·겸직(兼職) 등을 다 갖추어 쓰는 것을 말하고, '개제주'란 망자의 신주(神主)의 글자를 고쳐 쓰는 것을 말한다.

신하 돌아보니
석양빛이 어스름한데,
시골에서 밀서(密書)를 부치고
전란(戰亂)의 현장으로 달려가네.

의로운 죽음이냐? 삶이냐?
거듭 숙고(熟考)하여 마침내 의(義)를 택해
용소단(龍沼團)에 들어가니,
비 오듯 흐르는 선혈(鮮血)이
도리어 차갑기만 하구나!

백발에 포로(捕虜)가 되어
감옥살이 하지만
명성(名聲)은 더더욱 드러나,
나라 위한 일편단심(一片丹心)
그 절의(節義)가 유유(收收)하도다.

은밀히 내린 화함(華銜)이라
임금의 은혜가 막중(莫重)하니,
아름답고 빛나는 정신
산천초목도 기뻐하는구나.4)

위 시의 서문을 살펴보면, 1905년 부당한 일본의 을사조약 강제 체결에 항거하기 위하여 면암 최익현을 중심으로 김성암, 기송사, 고록천 등의 의사(義士)들이 담양 용추산(龍秋山)에서 의병을 모집하고 화개동에 도착하여 전투에 돌입할 당시의 상황을 생생하게 살펴볼 수 있다.

---

4) 〈謹次月潭志感韻 有序〉 (序) 光武乙巳, 國有協約之變. 崔勉菴先生召募義士于潭陽之龍淋山中, 時金省董先生與奇松沙、高鹿泉諸先生同赴義盟, 直到領之花開洞. 義鼓大振, 眾寡難敵, 事雖未證. 其孤忠赤腔, 可質神明. 後有密特以正三品. 乙酉光復後, 肖孫載石具銜改題主. 時有感吟詩, 仍步其韻, 以寓高景之私.
(詩) 回顧山河夕照殘, 投書林下赴邦難. 熊魚判定种星轉, 龍沼團盟血雨寒. 白首南冠名益烈, 丹心北闕義攸安. 華銜密降天恩重, 精采能令帥木懂. 이하 시의 원문 및 번역은 김정회 저/이정길 번역·주해, 『梅妻를 찾아기네: 보정 김정회 선생 시집』, 동경, 2018 참조..

이후 1945년 광복이 되자, 최익현의 손자인 최재석이 보정에게 조부 면암의 신주의 글자를 고쳐 써 달라고 부탁하게 되고, 보정은 당시 일본에 항거하던 면암의 숭고한 정신을 깊이 기리며 이를 수락하였던 것이다. 계속해서 다음 시를 살펴보자.

〈의사(義士) 하석환(河錫煥)을 기리다.〉

아, 슬프도다!
나라 안에 섬나라 왜적들이 창궐하여 정치질서가 그만 무너지고 말았구나!
위로는 대대로 나라의 녹을 먹던 세도가들 중에 임금을 배반하고 나라를 팔아먹는 매국노(賣國奴)들이 꼬리를 물고 잇달아 나타났도다. 이때에 하공(河公)은 멀리 떨어진 지방의 벼슬 없는 선비의 한 사람에 불과했지만, 맨손으로 왜적들에 항거하였으며, 호적에도 올리지 않았고 세금도 내지 않았으며, 의연하게 "대한유씨(大韓遺氏)" 넉 자를 자신의 대문에 써 붙였으니 이 얼마나 장한 일인가!
그러나 어찌 근본(根本)없이 이런 일을 해낼 수가 있었겠는가?
양친부모 살아생전에는 정성을 다하여 봉양하였고, 세상을 떠나자 무덤 옆에 여막(廬幕)을 지어놓고 6년이나 시묘살이를 함으로써 이미 근본이 세워졌으니, 어찌 도(道)가 생겨나지 않을 수 있겠는가? 이에 절구(絕句) 한 수(首)로 뒤를 이어 이르노라.

온 나라가 쓸쓸하게
시들어 갈 때,
홀로 "대한가(大家)"라
표방(標榜)하였구나!
불쌍하도다!
대대로 벼슬하는 저
세신(世臣)이라는 소인배들!
머잖아 알리라,
부끄러워 죽는 자 많음을![5]

---

5) 〈贊河義士錫煥〉 嗚乎! 國家當島夷猖獗, 彝倫敦矣。上自世祿家, 叛君販國者踵相接也。河公以嫂土一布衣, 雙手抗敵, 不入籍, 不納稅, 毅然以大韓遺氏四字, 自榜其門, 何其壯也。然此豈無所本而然哉? 方其生養兩庭, 喪廬塞六載。本號立矣, 道安得不生乎? 繼以一絕曰:"四海蕭凋日, 獨標大韓家。憐彼世臣輩, 知應愧死多。" 김정회 저/이정길 번역·주해, 『梅妻를 찾아가네: 보정 김정회 선생 시집』, 동경, 2018, 564쪽.

위 시는 일제강점기 효자이자 의인으로 명성이 자자했던 하석환(河錫煥: ?~1918)이라는 인물의 절개를 기리며 남긴 시이다. 하석환은 충청북도 음성군 삼성면 덕정리에서 살았던 인물로 1910년 한일합방이 되자, 대문에 "李生家之民 河錫煥(이씨왕조의 백성 하석환)"이라는 문패를 달고 두문불출하며 세금을 내지 않아 유치장에 갇혀 고문을 당하였던 의사(義士)이다.[6]

보정은 이처럼 일제에 항거하였던 하석환이라는 인물의 절개를 높이 칭송하며 세신(世臣)으로 자처하는 이들의 행태를 풍자하고, 더불어 혼란과 격변의 시대에 선비로서의 절개와 처신, 조국의 광복을 염원하며 이러한 자신의 심회를 시로 남겼던 것이다.

다음 시는 보정이 생일 아침, 자신의 출생과 지금껏 살아온 인생을 회고한 시이다. 이를 살펴보자.

〈임오년(1942) 생일 아침에 회포를 적다.〉

옛날 내가 처음 태어나던 날,
집안의 경사(慶事)라 굉장했지.
마을사람들 축하하러 몰려들었고,
태어난 지 삼일 날 외가에선

---

[6] 충청북도 음성군 삼성면 덕정리에서 조선 말기와 일제강점기의 효자이며 의인으로 이름난 하석환과 관련하여 전해 내려오는 이야기이다. 하석환(?~1918)은 조선 말기와 일제강점기에 충청북도 음성군 삼성면 덕정리에서 살았던 인물이다. 어렸을 때부터 효자로 소문이 났는데, 1905년(광무 9) 아버지의 상을 당하였다.
아버지의 묘를 쓴 곳이 깊은 산중이어서 시묘살이 중에 온갖 짐승들이 괴롭혀서 여간 딱하지 않았다. 그런데 어느 날부턴가 커다란 호랑이가 찾아와서 신변을 보호해 주었다고 한다. 1910년 한일합방이 되자, 하석환은 대문에 "李生家之民 河錫煥(이씨왕조의 백성 하석환)"이라는 문패를 달고 두문불출하며 세금 또한 내지 않았다. 그리하여 음성경찰서에서, "너는 대일본제국의 신민으로 천황폐하의 홍은을 감사히 여기지 않으니 고약한 놈이다. 너 같은 놈은 죽어 마땅하다." 하면서 으름장을 놓고 협박하며 고문까지 하였으나 하석환은 조금도 굴하지 않았다. 결국 유치장에 갇히게 되었는데, 하석환은 그날부터 아무것도 먹지 않고 단식투쟁을 하였다. 경찰서장은 속으로 '제놈이 며칠이나 갈라고.' 하면서 내버려 두었는데, 하석환은 5~6일이 지나도록 단식을 하더니 큰소리로, "이 도적놈들아! 내가 무슨 죄가 있다고 이 더러운 곳에 가두었느냐." 하면서 소란을 피웠다. 결국 경찰서장은 하석환이 혹시나 유치장에서 죽으면 민심이 동요할 것을 걱정하고 집으로 돌려보냈다. 그러나 얼마 후 하석환의 집으로 사람들이 모여드는 등 민심이 예사롭지 않게 돌아가자, 경찰서장은 또다시 하석환을 잡아다 유치장에 가두었다. 그렇다고 일제에 고분고분해질 하석환이 아니었다. 이렇게 두서너 번 가두고 풀어 주던 경찰서장은 결국 하석환을 내버려 두기에 이르렀다. 하지만 그 후 몇 해 뒤인 1918년 결국 병으로 세상을 뜨고 말았다. 출처: 충청북도 음성문화원 홈페이지(http://eumseong.or.kr/) 음성의 설화 「하석환의 절개(河錫煥節槪)」

미역국과 떡을 차려놓고 축하연을 벌였지.
조부모님은 애지중지하시며
금이야 옥이야 보살피시고,
내 이름을 '정회(正會)'라고
좋은 이름을 지어주시며
우리 가문 번창하길 바랐다네.

일곱 살에 처음으로 입학해보니
글방 스승님은 엄하게 가르쳤는데도
하루에 겨우 한 두 구절 익혔을 뿐
종일토록 똑똑히 외우지 못했고,
다만 배와 밤만 찾았다네.[7]
거리낌 없이 멋대로 장난을 치기도 했고
십여 년 세월 동안 제(齊)는 정벌했지만
노(魯)에 이르러는 이룬 것 하나도 없었네.

스무 살 약관(弱冠)이 되어 줄곧 책에만 의탁해
제자백가(諸子百家)를 두루 살펴보았으나
"구슬은 돌려주고 구슬 함(函)만 지키는 격"이 되어
공연히 쉴 새 없이 흐르는 세월만 낭비하고 말았으니,
등용(登龍)을 어찌 바랄 수 있었겠는가?
아, 참으로 낯 두껍게도 한 마리 돼지가 되고 말았네!
우리 집은 형제들이 많기는 하지만
나처럼 쓸모없어 버릴 자는 하나도 없구나.

어느 새 불혹(不惑)의 나이 마흔이 되었지만
마침내 세상에 이름 없는 사람이 되어버려
어버이와 조부모의 기대에 어긋나고 말았으니

---

7) 도연명(陶淵明)의 「責子(자식을 꾸짖다)」라는 시에 나오는 구절이다. 자신의 아홉살 난 아들이 학문에는 관심이 없고, 오로지 먹을 것만 찾는다는 것을 "아홉살 아들은 배와 밤만 찾는다네."(通子垂九齡, 但覓梨与栗.)라고 표현한 것이다.

살아생전 효도를 다 못한 통한이 갈수록 새롭구나!
지난날 잘못을 어찌 우물쭈물 말할 수 있겠는가?
오는 날들이나 정신을 바짝 차려 착실히 해야지.
오늘 생일날 아침 감개(感慨)가 하도 많아
흰 눈을 마주하며 감회(感懷)를 세세히 적어보네.[8]

시에서도 보이듯 보정은 40세 생일 아침, 스스로의 삶을 반추하며 이 시를 짓는다. 조부모님께 받은 '정회(正會)'라는 이름에는 가문이 번창할 것이라는 희망이 담겨있으나, 보정은 스스로 이룬 것이 없어 등용되지 못함으로 인해 효를 다하지 못했다고 자책한다. 그러나 이는 일제 동탕기(動蕩期)에 선비로서 등용될 것을 기대하고 처신하지 않은 보정의 꼿꼿한 성격을 잘 보여주는 것이며, 동시에 부모님의 기대만큼 잘 살아오지 못했다고 반성하는 겸사로서 보아야 할 것이다.

다음 부(賦)는 보정이 호남의 젊은 유생 대표로 선발[9]되어 현 성균관대학교 전신인 명륜전문학원에 입학하기 위해 떠나면서 그 다짐을 읊은 것이다.

〈감춘부(感春賦). 삼가 회암부자(朱子) 시에 차운하여 짓다. 임신년(1932).〉

(전략)
성인(聖人)시대 멀어지고,
성인(聖人)말씀 매몰되니,
시운(時運)의 흥망성쇠(興亡盛衰)를
어찌한단 말인가?
돌아보니 은사(隱士)가 사는 곳이
그윽하고 아름다워,
내 장차 처음에 품은 뜻을 반드시

---

[8] 〈壬午生朝述懷〉 昔我初降日, 家慶想應多。鄕里來相賀, 三朝陽餠羅。重堂愛而重, 金耶又玉耶。肇錫余名正, 期以昌吾家。七歲初入學, 彭師嚴課程。繼受一兩句, 終日誦不明。但竟梨與栗, 放供自在行。伐齊十許載, 至魯一無成。弱冠猶托籍, 披閱百家書。還珠守虛槓, 徒能費居諸。登龍那可望, 覥然洒一猪。吾行多昆季, 廢棄莫吾如。奄當年四十, 竟作無聞人。虛負父祖望, 風樹恨益新。昨非何須說, 來者可着神。今朝多感慨, 對雪我懷陳。김정회 저/이정길 번역·주해, 『梅妻를 찾아가네: 보정 김정회 선생 시집』, 동경, 2018, 293-294쪽.

[9] 보정이 호남 젊은 유생 대표로 선발되어 현 성균관대 전신인 명륜전문학원에 입학한 것은 29세인 1931년의 일이다. 그러나 이 부(賦)가 쓰인 시기는 주에서도 확인할 수 있듯이 1932년 임신년임을 알 수 있다.

성취(成說)하고 말리라.
세월을 헛되이 보낼까 두려워
촌음(寸陰)을 아끼듯이 청춘을 아껴,
큰 뜻을 품고 좋은 날에 나 홀로
길을 떠났으니,
옛 사람 중에서 나의 벗을 찾아보리라.[10]
(후략)

위에서 "큰 뜻을 품고 좋은 날에 나 홀로 길을 떠났으니"라고 한 구절은 보정이 서울 명륜전문학원 유학길에 올랐음을 말한다. 이후 보정은 명륜전문학원에 입학하여 신구(新舊)의 학문에 대해 토론하고 청조(淸朝)의 북학(北學)을 연구하는 데 매진한다. 이 시기는 또한 해강(海岡)의 문하로 들어가 본격적으로 서화(書畫)를 학습한 시기이기도 하다.

다음 시는 보정이 성균관대학교 명륜전문학원에 입학한 뒤, 일본의 신식 문물을 살펴보기 위해 떠난 일본 유람 과정에서 지은 시들이다. 이를 차례로 살펴보자.

〈신사년(1941)[11] 가을 일본(日本)에서 읊다.〉

하늘같은 푸른 바다
파도치는 이 가을 날
동쪽 바다 뱃머리 위
붉은 태양 떠오르네.

사천 리 밖에 있는
형형색색 절승(勝)들
삼십 년 만에 가장 먼
이방(異邦)유람이로다.

---

10) 〈感春賦 敬次晦庵夫子韻 壬申〉聖旣遠而言煙今, 奈時運之隆替。隆林泉之窈窕今, 將遂吾之初志。恐年歲之蹉跎今, 寸晷惜於芳春。懷良辰而獨往今, 求其友於古人. 김정회 저/이정길 번역・주해, 『梅妻를 찾아가네: 보정 김정회 선생 시집』, 동경, 2018, 668쪽.
11) 이 무렵 보정의 막내아우가 일본중앙대에 유학중이었다. 201쪽 참고..

교목(喬木)들 무성한
진정한 부국(富國)같아
농가(農家)도 어부집도
모두가 명루(名樓)와 같네.

굳게 잠긴 성문(城門)
저들 강산 수호(守護)하고
기마병 나팔소리에
이방(異邦)의 나그네
수심(愁心)만 깊어가네.[12]

시의 내용으로 보아, 보정은 30년만인 1941년(신사년)에 일본 유람길에 올랐음을 알 수 있다.

"교목(喬木)들 무성한 진정한 부국(富國)같아 농가도 어부집도 모두가 명루(名樓)와 같네."라는 보정의 시구에서도 드러나듯 당시의 일본은 조선보다 세련된 가옥 양식을 자랑하는 다소 신식의 문화를 이루었음을 확인할 수 있다. 계속해서 다음 시를 살펴보자.

〈남산(嵐山)[13] 아래 배를 띄우고 교토〔京都〕 부근에서 짓다.〉

섬나라 풍경 중
으뜸이라 불리는 곳
강나루에 짙푸른 두 산이
마주 보고 서있네.
만선(滿船)의 작은 배
석양 속에 지나가고
산색 비낀 파도 소리

---

12) 〈辛巳秋往日本哈〉 碧海如天波是秋, 扶桑旭日上船頭。四千里外多形勝, 三十年來最遠遊。喬木豐林真富國, 農家漁屋盡名樓。城門深鎖山河固, 騎笛聲中客子愁。 김정회 저/이정길 번역·주해, 『梅妻를 찾아가네:보정 김정회 선생 시집』, 동경, 2018, 199쪽.
13) 일본 교토 아라시야마(嵐山)를 가리킨다. 교토 서부에 있는 산으로 일본 제일의 벚꽃과 단풍을 자랑하는 명소이다. 위의 책 202쪽 참고.

만고의 추색(秋色)일세.[14]

보정의 눈에도 교토 아라시야마(嵐山)의 풍경은 아름다웠나 보다. 봄이 오면 일본 제일의 벚꽃 명소가 된다는 이곳에 보정은 가을날 오게 되었고, 유유히 배가 떠가는 풍경을 마주하며 짙어가는 가을을 느낀다. 계속해서 다음 시를 살펴보자.

〈일본 동경여관에서 잠깐 병아(丙兒)[15]를 만나다.〉

끝없는 가을 하늘
길게 뻗은 산과 바다.
장부의 상봉지지(桑蓬之志)
사방에 있구나.

만리타국에서의 부자(父子) 상봉
무슨 말이 더 있겠는가?
부지런히 학업(學業)닦고
돌아오란 말밖에![16]

보정은 당시 일본에서 유학중이던 장남 김병수(金丙洙)를 만나 잠시 부자간의 회한에 젖는다.
학업을 닦고 고국으로 돌아오라는 당부를 남긴 보정이 타국에서 만난 것은 장남뿐만이 아니었다. 다음 시를 살펴보자.

〈일본 나라현(奈良県)에서 고향 사람 류진(柳津)[17]을 만나다.〉

---

14) 〈泛舟嵐山下 京都附近〉 海國風煙最勝頭, 雙山對翠一江頭。扁舟滿載斜陽去, 岳色波聲萬古秋。 김정회 저/이정길 번역·주해, 『梅妻를 찾아가네: 보정 김정회 선생 시집』, 동경, 2018, 201쪽.
15) 보정의 장남 병수(丙洙)를 가리킨다. 당시 일본에서 유학 중이었다. 위의 책 203쪽 참고.
16) 〈東京客舘暫見丙兒〉 秋天無際海山長, 素志桑達在四方。萬里相逢無別語, 但言勤業早還鄕。 김정회 저/ 이정길 번역·주해, 『梅妻를 찾아가네: 보정 김정회 선생 시집』, 동경, 2018, 202쪽.
17) 고창출신의 교육자이자. 정치인 류진을 가리킨다. 호는 남정(南)이고 서울대 영문과 교수, 국회의원을 지냈다. 위의 책 204쪽 참고.

해외에서 갑자기 만나
놀랍고도 반가우니
늘 보는 옛 친구보다
더더욱 정겹네.

술잔을 멈추고
고향소식 물어오는데
나 역시 집 떠난 지
한 달쯤 흘렀다고 말했네.[18]

 이렇듯 일본 유람길에서 장남과 오랜 벗을 마주한 보정은 이내 고국을 생각하며 통탄과 그리움의 감정과 마주한다. 그리고 마침내 일본의 선진문물을 살펴보기 위해 오른 유람의 과정을 마치고 귀국하는 날 보정은 다음과 같은 시를 짓는다.

〈9월 9일 일본에서 귀국선(歸國船)을 타고 돌아오며 짓다.〉

귀향선(歸鄕船)에 올라
고국(故國)을 물으니
푸른 파도 만 리 길이라니
내 나라 내 강산이 눈앞에
더욱 또렷이 떠오르네.

아들은 공부하고 싶다하여
섭섭하게 헤어지고
막내 동생은 혈육의 정으로
몇 마디 소식을 보내왔네.

비단 폭 같은 가을빛
섬 앞에 해가 뜨자

---

18) <奈良縣逢故鄕人 柳津> 海外忽逢喜老驚, 尋常故友倍多情。停盃問我鄕山信, 我亦離家月一傾。
    김정회 저/이정길 번역·주해, 『梅妻를 찾아가네: 보정 김정회 선생 시집』, 동경, 2018, 203쪽.

구름 그림자 높이 날고
기러기는 하늘을 등지고
날아가네.

새로 지은 아득한
수정(水亭)[19] 그립고
국화 떨기는 어찌 되었을까?
올해도 온 가족 모여 보내는 중양절(重陽節)을
또 헛되이 보내고 말았구나![20]

이처럼 보정은 조선의 모습보다 신식인 일본의 문물과 마주해서는 고국에 대한 안타깝고 서러운 심경을, 여전히 타국에 남아 공부해야 하는 막내아우와 장남을 생각하면서는 가슴 아픈 혈육의 정을 느끼며 귀국한다. 아마 그러한 심정이 더욱 짙게 느껴지는 이유는 시에서도 확인할 수 있듯 하필 귀국하는 날이 가족들이 모두 모여 정답게 보내는 중양절이어서 그러할 것이다.

다음 시는 1941년에 일본이 '유도(儒道)를 진작하는 순회강연'이라는 미명 하에 학도병 지원과 징용을 강요하자, 보정이 이를 완강히 거절하고 20일간 금강산으로 기행을 떠난 과정에서 남긴 시들이다. 이를 차례로 살펴보자.

〈신사년(1941) 여름 5월(음력)에 금강산(金剛山) 유람을 준비했다. 친동생 장회와 친구 유태윤, 강봉영이 먼저 떠나 정읍(井邑) 역전에서 기다리기로 했다. 이튿날 아침 나는 사촌 동생 민회와 팔짱을 끼고 여정(旅程)에 올랐다.〉

명승구역 체류를 약속하고
앞뒤로 길을 떠나니
단출한 행장 꾸려
책 한권 손에 들었네.

---

19) '水亭'은 고창읍 도산리 136번지 소재 '도산서당' 경내 연못가의 정자를 가리킨다. 위의 책 206쪽 참고.
20) <九日舟中作 自日本歸> 滄波萬里問歸船, 故國江山歷歷旁。我欲做工因惜別, 季能遺語信相連。秋光如練嶋前日, 雲影齊高碓背天。遙憶新亭幾叢菊, 重陽虛負又今年。김정회 저/이정길 번역·주해, 『梅妻를 찾아가네: 보정 김정회 선생 시집』, 동경, 2018, 205쪽.

철마(鐵馬)는 길게 울고
바람결에 소매 펄럭거리는데
마음은 이미 해산(海山)[21]에
가 있구나.[22]

  보정은 일본의 강제 징용에 협조하지 않기 위한 방식으로 금강산 유람을 택한다. 이에 1941년 음력 5월에 유람을 떠나게 되는데, 이 때 동행한 사람들은 보정을 포함하여 아우 김장회, 친구 유태윤과 강봉영, 사촌동생 김문회 총 5명임을 알 수 있다. 계속해서 다음 시를 살펴보자.

〈단발령(斷髮嶺)[23]을 지나 장안사(長安寺)[24]로 들어서며.〉

금강산은 살아있는 그림인듯
펼쳐진 병풍첩 같아
처음 한 첩 펼쳐보니
비단 폭에 붉은 수를 놓은 듯하네.
푸른 물결 감도는
흰 바위에 사람들이 몰려들고
녹음 짙은 청산엔 산사가
자리하고 있네.

천리 밖 먼 유람 길에

---

21) 금강산과 해금강을 말하는 것이다. 김정회 저/이정길 번역·주해, 『梅妻를 찾아가네: 보정 김정회 선생 시집』, 동경, 2018, 208쪽 참고.
22) 〈辛巳夏五月將行金剛, 弟章會, 柳友泰胤, 姜友奉永, 前期先發留待于井邑驛前。翌朝余與從弟珉會君, 聯袂發程。〉名區留約後先發, 蕭灑行裝手一篇。征馬長啼風拂袖, 此心已在海山邊。김정회 저/이정길 번역·주해, 『梅妻를 찾아가네: 보정 김정회 선생 시집』, 동경, 2018, 207쪽.
23) 단발령은 강원도 창도군 창도읍(옛 김화군 통화면)과 금강군 내강리(옛 회양군 내금강면) 사이에 위치한 고개이름으로 금강산으로 들어가는 초입에 해당한다. 많은 화가들이 같은 제목의 작품을 그렸고, 정선의 작품도 여러 점이 있다. 해발 834미터이고, 신라 말 마의태자(麻衣太子)가 이 고개에서 삭발하였다 하여 '단발령(斷髮嶺)'이라 하였다고 한다. 위의 책 209-210쪽 참고.
24) 강원도 회양군 장양면 장연리의 금강산 장경봉(長慶峰)에 있었던 사찰이다. 신라 법흥왕 때 창건되었다는 설과 서기 6세기 중엽 고구려의 승려 혜량(惠亮)이 신라에 귀화하면서 왕명으로 창건하였다는 설이 있다. 위의 책 210쪽 참고.

형제들은 즐겁고
몇 해나 기약했던
유람계(遊覽契) 벗들도
서로 즐거워하네.

안내하던 노스님이
우리 의중 알아채고
손짓으로 불러가며 곧바로
명경대(明鏡臺)로 향하시네.[25]

　보정은 일행들과 금강산의 초입에 위치한 단발령을 지난다. 이 고개는 신라 마의태자가 이 고개를 넘을 때 삭발하였다고 하여 '단발령'이라는 이름이 붙여진 전설이 전하는 곳이다. 이에 보정은 단발령을 지나서 금강산 장경봉에 자리잡은 장안사로 들어선다. 그 풍경이 아름다웠던지 일행들이 모두 즐거워한다고 표현하였고, 노스님의 안내에 따라 명경대로 향하였음을 알 수 있다.
　그런데 보정이 남긴 이러한 금강산 유람 시들은 또한 절묘하게도 스승 해강의 금강산 유람시들을 떠올리게 한다. 해강 역시 1919년 7월, 호정(湖亭) 노원상(盧元相: 1871~1928)과 함께 금강산 유람을 하였는데, 이 때 구룡연 암벽에 새길「彌勒佛」이라는 대자(大字)를 썼을 뿐만아니라 10월에 다시 금강산을 다녀온 뒤에는「매일신보(每日申報)」에 19회에 걸쳐「금강산(金剛山) 스케치」를 연재하였던 것이다.[26] 이러한 일화는 스승 해강과 제자 보정의 닮은 모습을 자연스럽게 연상하게 만든다.
　이후 보정은 1945년 10월, 인촌(仁村) 김성수(金性洙: 1891~1955), 근촌(芹村) 백관수(白寬洙: 1889~1951), 몽양(夢陽) 여운형(呂運亨: 1886~1947) 등과 교유하면서 김구 선생의 환영회를 준비하기도 하였으나 극심한 좌우대립에 실망한 뒤 낙향하여 은거한다. 이후 1946년 2월, 부안 상왕등도로 들어가 1년 간 은거하면서 다음과 같은 시를 남긴다.

---

25) 〈過斷髮嶺長安寺〉 金剛活畵如屛疊, 一疊初開錦繡紅。人來白石淸流上, 寺在靑山綠樹中。遠遊千里弟兄樂, 宿約多年友契同。先路老僧能解意, 招招直向鏡白東。 김정희 저/이정길 번역·주해,『梅妻를 찾아가네:보정 김정회 선생 시집』, 동경, 2018, 208쪽.
26) 金殷鎬 著,『書畵百年』, 中央日報 東洋放送, 1977, 229쪽.

〈왕도(旺島)[27]에서 섣달그믐날 밤에 회포를 적은 절구 열 수를, 태강과 청강 두 형에게 부치다.〉

거문고와 시서(詩書)로
마흔 해를 보낸 이 몸,
어떻게 헛되이 타향살이
나그네가 되겠는가?
오늘 밤이 바로 올 겨울의
마지막 날 밤이니,
멀리서 조부모님의 새봄맞이를
축원하는구나.[28]
(하략)

  위 시에서 언급된 것처럼 보정은 44세의 나이에 부안의 한 섬인 상왕등도로 들어가 거문고와 시서를 벗삼아 은거하려 결심하였지만 이내 조모의 상을 당함으로 인하여 고향인 고창으로 다시 돌아오게 된다.
  이처럼 보정의 생애는 일제강점기, 격변의 근대기라는 시대 상황과 결코 분리되어 설명될 수 없다. 그러한 흐름 속에서 보정은 세속과 타협하지 않고 나름대로의 학문적 자존감과 꿋꿋한 절개를 지키며 살아왔고, 그러한 그의 행적을 우리는 그가 남긴 시를 통해 확인할 수 있다.

---

27) 왕등도(旺嶝島)라고도 한다. 전북 부안군 위도면 상왕등리에 속한 섬으로 면적 0.57㎢, 부안군에서 서쪽으로 약 34km 지점에 해당하고, 동쪽에 모괴도, 열도 등의 무인도가 있다. 섬 전체가 하나의 산을 이루며, 북서쪽 해안은 파도의 영향이 강하여 해식애가 발달해 있다. 주민은 대부분 어업이고 약초(藥草)도 재배하고 흑염소를 방목한다. 연근해 일대는 봄과 여름에 제주난류가 북상하여 난류성 어족(魚族)이 풍부하고, 광어, 농어, 우럭, 돔 등이 잡힌다. 보정은 20여 가구가 거주하던 상왕등도에서 1년간 휴양차 거주하였다. 김정회 저/이정길 번역·주해, 『梅妻를 찾아가네: 보정 김정회 선생 시집』, 동경, 2018, 401쪽 참고.
28) 〈旺島除夜寫懷十絶, 聊寄台青兩兄〉 四十琴書此一身, 如何護作他鄉人. 直從今夜窮陰盡, 遙祝重堂春更新. 一葉扁舟海上浮, 雲天漠漠幾時收. 師襄去後無人問, 惟有波聲萬古愁. (이하생략) 김정회 저/이정길 번역·주해, 『梅妻를 찾아가네: 보정 김정회 선생 시집』, 동경, 2018, 395쪽.

3. 보정의 학문과 철학사상

보정은 노사(蘆沙) 기정진(奇正鎭: 1798~1879)과 그의 손자인 송사(松沙) 기우만(奇宇萬: 1846~1916)의 학풍을 이어받았다. 기정진은 이일분수(理一分殊) 이론에 의한 독창적인 이(理)의 철학을 수립한 인물로 경사자집(經史子集), 백가(百家), 예악(禮樂), 형정(刑政), 병기(兵器), 천문지리(天文地理)에 이르기까지 깊은 경지를 이룩하였다.

특히 이기설(理氣說)에 있어서 주기설(主氣說)을 비판하고, 주리설(主理說)을 주장하였으나 다른 주리파 학자들과는 입장을 달리 하여 이(理)와 기(氣)를 이원적(二元的)으로 대립시켜 이해하지 않고, 일원적(一元的)으로 보아 기(氣)가 이(理) 속에 포함되는 '분(分)'의 개념으로 파악하였다. 송시열(宋時烈)로 대표되는 주기파(主氣派) 계열과 대립했다.

이러한 학문 사상은 손자인 송사 기우만-보정 김정회에게 이어지게 되는데, 기우만은 19세기 호남 지역을 중심으로 형성된 노사학파의 중심인물로 구한 말 혼란한 시기에 존화양이(尊華攘夷)에 기반한 대일통 사상을 견지하였고, 이러한 사상은 형이하학(形而下學)의 기(器)인 과학기술을 서양으로부터 배울 수 없다는 위정척사운동과 의병활동의 기반이 되었다.[29]

보정은 기정진의 학풍을 이어받았으나 기정진이 서양을 '양이(洋夷)'라 하여 서구의 과학기술을 철저히 배척한 데 반해, 보정은 서구의 선진문물을 적극적으로 수용해야 함을 주장하였다. 또한 기정진은 '이체이용(理體理用: 이(理)를 체(體)로 하고, 이(理)를 용(用)으로 한다는 사상)'을 주장하였으나 보정은 '이체기용(理體氣用)'을 주장하였다. 이는 서울 명륜전문학원에서 10여 년 간 북학(北學) 연구에 몰두한 결과였다.[30] 보정이 서울 명륜전문학원으로 유학하여 북학(北學) 연구에 매진한 사실은 다음의 시를 통해서도 확인할 수 있다.

〈다시 무제시(無題詩)의 운(韻)을 차운하여 짓다.〉

천지간에 무엇 하나

---

29) 조일형, 〈송사(松沙) 기우만(奇宇萬)의 위정척사사상과 의병정신 —상소문과 담판문을 중심으로—〉, 《용봉인문논총》 제52권, 2018, 197-198쪽 참고.
30) 김정회 저/이정길 번역·주해, 『梅妻를 찾아가네: 보정 김정회 선생 시집』, 동경, 2018, 662-663쪽 참고.

버릴 것이 없는데
이 마음 비록 보잘 것 없지만
온전히 지니기 어렵구나.

헛된 생각으로
이 세상을 살아왔는데
머리 돌려 산하를 바라보니
옛 모습과 다르네.

수많은 시서(詩書)를
북학(北學)에 기약했으니
뜬구름 같은 부귀영화
한바탕 헛된 꿈이리라.

제목 없는 시(詩)는
제목 있는 말을 하게 되는 법,
웃는 얼굴로 매처(梅妻)[31]를 찾아가니
곱게 단장하였네.[32]

  이 뿐만 아니라 보정은 주돈이(周敦頤)의 태극도설(太極圖說)과 더불어 동양우주론(東洋宇宙論)의 근원적 사상으로 일컬어지는 소강절(邵康節)이 창시한 수리역학(數理易學)인 상수역(象數易)을 공리공담(空理空談)을 일삼는 한낱 공허하고 현학적인 학문이라고 신랄하게 비판하였다.
  이러한 점으로 미루어 볼 때 보정의 학문과 사상적 연원은 기정진의 학풍을 이어받았다고 할 수 있으나 한편으로는 선진문물을 과감하게 수용함으로써 위정척사사상과는 궤를 달리하는 다소 선진적인 일면이 있었다고 하겠다.[33]

---

31) 매화를 아내로 삼고 학(鶴)을 아들로 삼는다는 매처학자(梅妻鶴子)에서 나온 말이다. 곧 속세를 떠나 산에 숨어 사는 선비를 일컫거나 유유자적(悠悠自適)한 생활을 비유하는 말이다. 김정회 저/이정길 번역·주해, 『梅妻를 찾아가네: 보정 김정회 선생 시집』, 동경, 2018, 313쪽 참고.

32) 〈又無題詩〉 天地間無一物遺, 此心雖小亦難持。空懷歲月生今世, 回首山河異昔時。萬卷詩書期北學, 浮雲富貴夢南枝。無題便作有題語, 笑向梅妻粒粉脂。김정회 저/이정길 번역·주해, 『梅妻를 찾아가네: 보정 김정회 선생 시집』, 동경, 2018, 311쪽.

33) 위의 책 663쪽 참고.

4. 보정의 서화 예술세계

　예로부터 난과 대나무는 청초한 향기와 곧은 형상으로 인하여 맑고 고귀한 선비의 절개 혹은 인품을 상징하는 사물로서 사대부의 애호의 대상이었다. 그런데 보정의 문인화를 살펴보면 난과 대나무에 대한 애정이 유독 두드러짐을 알 수 있다.[34] 그러면 잠시 대나무와 관련된 시를 2편 살펴보도록 하자.

〈대나무를 심고 몇 달이 안 되어 죽순이 나는 것을 보니 기뻐 절구 두 수를 짓다.〉

매년 늦은 봄에
대나무를 새로 심지만,
심는 족족 말라 죽어
재미가 없었는데,
올봄에도 또 그러려니
시험 삼아 심어보니,
이제야 비로소
싱싱하게 푸른 두 그루에서
죽순(竹筍)이 솟아올랐네.
올해 마침내
대나무를 심어보고서야
그 재배법을 알았으니,
흙 채로 옮겨 심어야
새 뿌리가 잘 자라 죽순이
나온다네.
내 어릴 적 일찍이
탁타전(橐駝傳)을 읽었지만,
입으로 소리 내어 읽는 것이

---

34) 2019년 고창 전통문화 프로그램 발굴 기초자료조사 용역을 통해 수집·목록화한 보정의 서화 작품 가운데 난과 대나무 그림이 차지하는 비중은 약 57%로 확인된다.

어찌 실 경험을 따를 수 있겠는가?[35]

〈청명(淸明)에 죽순이 돋는 것을 보고 기뻐 시를 짓다.〉

대나무는 심기는 쉽지만
키우기는 어려운데,
해마다 뿌리를 북 돋우니
드디어 대나무가 되는구나.
수많은 죽순이 하룻밤에
앞 다투어 돋아나니,
큰 놈은 서까래 깜이요
작은 놈은 낚싯대 깜이로다.[36]

  이처럼 보정은 대나무를 심은 뒤, 죽순이 자라나는 모습을 직접 보면서 기쁨을 느낀다. 보정에게 대나무는 오랜 벗처럼 정겨운 대상이자, 언제나 곧은 절개와 선비 정신을 깨우쳐주는 고마운 존재이다.

보정 김정회의 대나무 그림(전주 솔화랑 소장)

---

35) 〈種竹木幾月, 見筍, 志喜二絶〉 每當春暮種新竹, 隨種隨枯興已消。又向今春仍試種, 靑靑雙本出筍高。今歲方栽竹法, 不除舊土護新根。童時嘗讀橐駝傳, 口誦何如實驗論。김정회 저/이정길 번역·주해, 『梅妻를 찾아가네: 보정 김정회 선생 시집』, 동경, 2018, 442쪽.

36) 〈淸明日見筍, 誌喜〉 種竹非難養竹難, 培根歲歲是琅玕。千筍一夜爭先出, 大者如椽小者竿。김정회 저 / 이정길 번역·주해, 『梅妻를 찾아가네: 보정 김정회 선생 시집』, 동경, 2018, 608쪽.

그러나 또한 보정에게 난과 대나무는 단순히 묘사하기 위한 사물로서의 의미를 지니는 게 아니라 고결한 작가의 정신과 인품을 대변하는 상징적인 물상이다. 작가는 단순히 사물의 외형을 묘사하는 사람이 아니라, 사물에 내재한 본질을 그려낼 줄 알아야 한다고 강조하는 보정의 사의(寫意) 정신은 다음 시에도 잘 드러나 있다.

〈난(蘭)을 그리다〉

한 폭 난(蘭)을
닷새 만에 그려내니,
그 때서야 비로소
묵향(墨香)이 퍼지면서,
붓끝에서 꽃이 피었네.
완물상지(玩物喪志)를
내 비로소 알았는데,
사람들은 무엇을
예술(藝術)이라 여기는가?[37]

보정은 5일 만에 난(蘭)을 완성하였다고 고백하였는데, 이는 작가가 눈앞의 외형을 묘사하는데 치중할 것이 아니라 어떠한 정신을 담아내야 할지를 고민하는 존재임을 여실히 말해준다. 이에 보정은 "붓끝에서 꽃이 피어나는" 경지에 이르러 예술이란 무엇인가를 짐작할 뿐이다. 그리고는 난(蘭)의 외형을 묘사함으로써 그것을 예술이라 칭하는 사람들에게 "무엇을 예술이라 여기는가?"라고 되묻는다. 실로 보정의 날카로운 작가 정신을 엿볼 수 있는 시이다.

보정 김정회의 난 그림
(전주 그림화랑 소장)

---

37) 〈寫蘭〉一幅畫蘭五日成, 墨香初散筆花始。始知玩物能喪志, 何事人間做藝名。김정회 저/이정길 번역·주해, 『梅妻를 찾아가네: 보정 김정회 선생 시집』, 동경, 2018, 104쪽.

계속해서 다음 시를 살펴보자.

〈오언고시(五言古詩)를 지어 월담, 취헌 두 형님을 받들어 송별하다.〉

(전략)
혹 어떤 사람은 나더러
조충(鳥蟲)을 잘 그린다고 하지만,
처음 뜻한 바가 아니라 부끄러울 따름이니,
그 회한(悔恨)을 어찌 다 말로 설명할까?
이제는 머리까지 백발이 되어
가난한 초가집에서 지내고 있으니 슬프기만 하네.[38]
(후략)

　보정은 "조충(鳥蟲)을 잘 그린다"고 칭송하는 말이 결코 자신이 도달해야 할 경지는 아님을 분명하게 언급한다. 뒤이어 보정은 단순히 외형을 묘사하는 경지는 자신이 "처음 뜻한 바"가 아님을 부끄러워하는데 이러한 점을 통해서도 우리는 보정이 얼마나 작품에 정신을 담아내는 경지를 중시했는지 알 수 있다.
　물론 여러 문인화에 남긴 제화시를 통해서도 보정의 글씨가 어떠한 특징을 지니는지 그 대강의 면모를 파악할 수는 있지만, 여기에서는 특별히 보정이 남긴 간찰이 있어 소개한다.

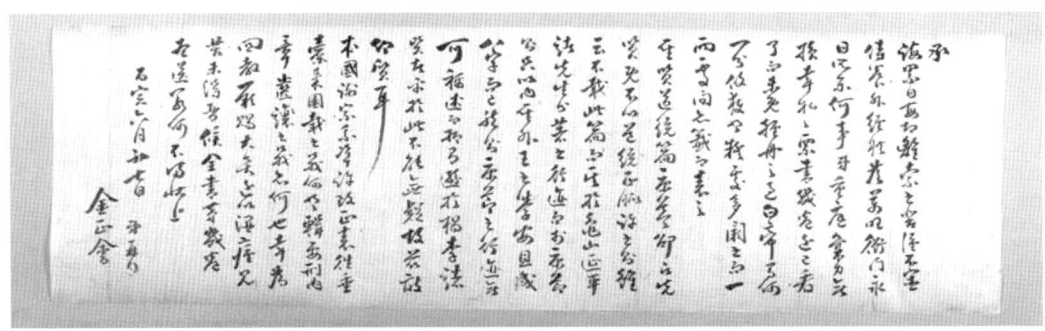

金正會가 보낸 簡札(국립전주박물관 소장)

---

38) 〈五古詩奉別月潭, 醉軒二兄〉 或稱烏蟲末, 愧負所志初. 悔恨曷可及, 頭白悲窮慮. 김정회 저/이정길 번역·주해, 『梅妻를 찾아가네: 보정 김정회 선생 시집』, 동경, 2018, 574쪽.

이 간찰을 탈초하여 해석해보면 다음과 같다.

承誨. 累日每相離, 索書苦謹. 不審侍養外經體候萬旺. 衡門永日所示何事? 弟重庭氣力無損, 幸事幸事. 票書幾卷近已看了. 而未晚輕舟之過白帝則何一分有獲耶? 疑處多闕書而一兩處間亦籤而表之.
聖賢道統篇, 康節邵氏, 先賢旣不以道統正脈許之, 則雖云不載此篇, 而其於龜山延平諸先生, 則著之行迹而於康節, 則只以內聖外王之學安且成八字而已. 然則康節之行迹無可稱述, 則抑有遜於楊李諸賢者乎. 於此不能無疑故此敢仰質耳.
本國謝宗系準許改正表, 往垂橐來困載之義何耶? 輯要刑內章悏讓之義亦何也? 幸爲四教闕賜大矣. 近以濕瘇見苦, 未得□? 候, 全書等幾卷盡送若何? 不備狀上.
丙寅六月初七日. 弟再拜金正會.

　깨우쳐주심을 받았습니다. 여러 날 늘 서로 떨어져 있으매 편지를 찾기가(주고받기가) 어려웠습니다. 삼가 부모님을 모시고 사시는 외에도 건강이 여러 부분에서 왕성하시리라 생각됩니다. 누추한 집[衡門]에 오랫동안 무슨 새 소식이 있었겠습니까? 저는 부모님의 기력이 크게손상됨이 없으시니 개인적으로 다행스럽고 다행스럽게 생각합니다. 표시해주신 책 몇 권은 근래에 다 보았으나 가벼운 배를 타고 빠르게 백제성을 지나치듯이 함을 면치 못하였으니 어찌 일분(一分)이라도 얻은 바가 있겠습니까? 의심나는 곳은 대부분 제쳐두고도 한두 장 사이에 책갈피를 끼워 표시하였습니다. (율곡 이이의)「성현도통편(聖賢道統篇)」은 강절(康節) 소씨(邵氏) 선현을 이미 도통(道統)의 정맥(正脈)으로 허락하지 않은 즉 비록 이 편을 싣지 않았다고 하더라도, 구산(龜山)과 연평(延平) 여러 선생에게 있어서는 행적이 드러나 있으나, 강절(康節)에게 있어서는 단지 내성외왕지학(內聖外王之學)을 편안히 여김으로써 여덟 자를 이루었을 따름입니다. 그러니 강절의 행적이 가히 칭하여 기술할 만한 것이 없다고 한 것입니까, 아니면 양시(楊時)와 이동(李侗) 등 제현(諸賢)에 손색이 있다고 한 것입니까? 이 부분에 있어 의심이 없을 수 없으니 이에 감히 우러러 질문을 드립니다.
　(율곡 이이의)「본국의 종계를 바로잡는 것을 준허하여 주심에 감사드리는 표(本國謝宗系準許改正表)」에서 빈 자루[垂橐]로 갔다가 수레를 가득 채워[梱載] 돌아온 고사의 의미는 무엇입니까? 『성학집요(聖學輯要)』〈형내장(刑內章)〉의 '悏讓'은 또한 어떤 뜻입니까? 다행히도 사교(四敎)를 하사하심이 큽니다. 근래 습종(濕瘇)을 당하여 직접 문후를 드리지 못합니다.

『주자전서(朱子全書)』 등 몇 권의 책을 전부 다 보내주시면 어떻겠습니까? 갖추지 못하고 답장 드립니다.

병인년(丙寅年:1926) 유월 초이렛날. 아우 김정회(金正會) 재배(再拜).

이 간찰의 수신자는 확실하지 않다. 그러나 이 간찰은 보정의 학문과 사상을 파악할 수 있는 중요한 자료가 됨은 물론 보정 서예의 단편적 특징을 살펴볼 수 있는 귀중한 작품이다. 일단, 전문적인 서화 창작품을 통해서 본 보정의 서예는 유려한 면이 돋보이지만 그의 특장(特長)인 '묵죽'에 비하여 다음과 같은 특징이 관찰된다.
첫째, 각 글자마다 필획이 일관되지 않은 면이 발견되고 결구상의 단절감이 느껴짐으로써 글씨가 유려하기는 하지만 그것이 하나의 기세로써 연결되는 측면이 다소 아쉽다고 하겠다. 둘째, 보정의 글씨는 단아한 선비풍의 글씨이기는 하지만 그의 '묵죽'에서 느껴지는 호방한 기운이 다소 약하다. 셋째, 일부 초서의 경우에 공인된 전통적 결구를 벗어나 자신만의 독특한 필법을 구사함으로써 탈초(脫草)에 있어서 난점으로 작용하는 측면이 있다.
그러나 위의 간찰 작품은 이러한 보정 글씨의 단점이 전혀 발견되지 않는다. 외려 작은 글씨 임에도 불구하고 호방한 기풍을 엿볼 수 있으며, 초서도 정확하고 일관성이 느껴져 보정 서예의 진면목을 볼 수 있는 작품이라 평가된다. 앞으로도 보정의 전문적인 서화 창작품뿐만 아니라, 보정이 생활문자로서 남긴 자료들을 지속적으로 수집·발굴함으로써 보정 서예의 특징을 면밀하게 연구할 수 있는 토대를 마련하는 것이 시급하다 할 것이다. 이러한 의미에서 위의 간찰은 매우 중요한 연구사적·예술사적 의미를 지닌다 하겠다.
보정은 1931년 해강(海岡) 김규진(金奎鎭:1868-1933)의 문하로 들어간 뒤, 이후 1934년 명륜전문학원을 졸업하여 고창으로 내려오기 전까지 해강의 문하에서 서화(書畫)를 수학한다. 「해강서화연구회(海剛書畫研究會)」는 1915년 7월 발족된 뒤, 서화에 뜻있는 귀족 자제들을 제자로 받아서 지도하였다.[39] 이때 해강이 발표한 취지서가 눈길을 끈다.

서화는 문명을 대표하는 것이요, 문명은 국력의 발전을 나타내는 것이다. 그렇다면 서화가 발전하는 것이 곧 국력의 발전이라고 말할 수 있다. 이것은 일개인의 예술에

---

39) 金殷鎬 著, 『書畵百年』, 中央日報 東洋放送, 1977, 226쪽.

그치는 것이 아니요, 또한 세계가 지극한 보물로 여기는 것이다. 말로써 다 나타낼 수 없는 것은 글씨로 이를 나타내며, 글씨로써 다 나타낼 수 없는 것은 그림으로 나타낼 수 있다. 그러므로 글씨는 물체를 묘사하는 용한 기술이며, 그림이란 정신을 전달하는 살아 있는 방법이다. 옛사람이 정신을 수양하거나 사람과의 관계에 있어서 서화를 이용하는 경우가 많았으니 그런즉 이는 서둘러 연구되어야 하며 조금이라도 허술히 여겨서는 안 될 것이다.[40]

해강이 지도한 과목은 서예에서는 해서(楷)·초서(草)·전서(篆)·예서(隸), 화법(畵法)으로는 화분(花卉), 영모(翎毛), 산수(山水)였다고 하며, 지도시간은 여자반이 오전 9시-12시까지, 남자반이 오후 2시-6시까지였다고 한다. 또한 해강은 학생들을 가르치는 교본으로 「서법진결(書法眞訣)」, 「난죽보(蘭竹譜)」, 「육체필론(六體筆論)」을 사용하였고, 1917년 정초에는 신년시필회(新年試筆會)라는 타이틀로 장춘관(長春館)에서 많은 인사들을 초빙하여 휘호회와 전람회를 열었다는 기록도 보인다.[41]

이처럼 스승 해강의 문하에서 서화를 배운 보정 역시 스승의 영향 하에 글씨와 그림에 정신을 담아내고 전달하는 '사의(寫意)' 정신에 기반하여 많은 작품을 창작하였던 것이다. 이러한 면모는 앞서 살펴본 시와 그림에서도 잘 드러나고 있으며 보정의 예술세계를 설명하는 하나의 중요한 키워드가 되어주고 있다.

5. 나가기

보정 김정회는 1900년대 격변의 근대기를 몸소 살아내면서 항일 의지와 선비 정신을 붓 끝에 오롯이 담아내고자 했던 서화가이다. 전라북도 고창군에는 그의 생전 발자취를 더듬어볼 수 있는 생가가 보존되어 있지만, 여전히 우리들에게 보정 김정회라는 인물의 행적은 다소 낯선 것이 사실이다. 이렇듯 2019년 고창 전통문화 프로그램 발굴 기초자료조사 용역은 전라북도 고창군의 역사·문화 인물인 보정 김정회의 행적을 살펴보고, 그의 예술세계를 조명하려는 취지에서 시작되었다.

어느 지역이든 역사·문화적으로 사람들에게 감동과 깊은 귀감이 되는 인물이 존재하기 마련이다. 그러한 인물은 해당 지역 시민들에게 자랑이 될 뿐만 아니라, 향후 역

---

40) 원문은 위의 책 227쪽 참조.
41) 金殷鎬 著, 『書畵百年』, 中央日報 東洋放送, 1977, 227쪽.

사·문화 콘텐츠로서 스토리텔링 할 수 있는 귀중한 보고(寶庫)와도 같다.

보정 김정회는 바로 전라북도 고창군이 자랑스럽게 내세울 수 있는 인물이며, 그가 남긴 서화 작품은 그가 생전에 실천하고자 하였던 선비정신을 오롯이 보여주고 있다. 이러한 의미에서 올해 고창판소리박물관에서 고창 출신 서화가 4인의 작품세계를 조명한 「2019 고창 근현대 서화 거장전」과 같은 전시는 나름대로 의미 깊은 문화행사라 하겠다.

앞으로도 보정 김정회와 같은 인물의 행적과 작품세계가 꾸준히 발굴·조명되기를 바라며, 자꾸만 전통문화와 선비 정신이 잊혀져가는 이때에 지식인으로서, 예술가로서 어떻게 처신하고 살아가야 하는지를 끊임없이 고민했던 보정의 생애와 예술세계가 꾸준히 탐구되기를 바라는 바이다.

Ⅳ
부록

1. 그림 목차
2. 표 목차
3. 보정 김정회 작품 소장 현황

1. 그림 목차

【난(蘭)】

난죽석도 10곡병(Ⅰ)_01	20
난죽석도 10곡병(Ⅰ)_03	21
난죽석도 10곡병(Ⅰ)_05	22
난죽석도 10곡병(Ⅰ)_07	23
난죽석도 10곡병(Ⅰ)_09	24
난죽석도 10곡병(Ⅱ)_01	25
난죽석도 10곡병(Ⅱ)_03	26
난죽석도 10곡병(Ⅱ)_05	27
난죽석도 10곡병(Ⅱ)_09	28
난죽석도 10곡병(Ⅲ)_01	29
난죽석도 10곡병(Ⅲ)_03	30
난죽석도 10곡병(Ⅲ)_05	31
난죽석도 10곡병(Ⅲ)_07	32
난죽석도 10곡병(Ⅲ)_09	33
난죽석도 10곡병(Ⅳ)_02	34
난죽석도 10곡병(Ⅳ)_04	35
난죽석도 10곡병(Ⅳ)_06	36
난죽석도 10곡병(Ⅳ)_08	37
난죽석도 10곡병(Ⅳ)_10	38
난죽석도 10곡병(Ⅴ)_01	39
난죽석도 10곡병(Ⅴ)_03	40
난죽석도 10곡병(Ⅴ)_05	41
난죽석도 10곡병(Ⅴ)_07	42
난죽석도 10곡병(Ⅴ)_09	43
난죽석도 10곡병(Ⅵ)_02	44
난죽석도 10곡병(Ⅵ)_04	45
난죽석도 10곡병(Ⅵ)_06	46
난죽석도 10곡병(Ⅵ)_08	47
난죽석도 10곡병(Ⅵ)_10	48
난죽석도 10곡병(Ⅶ)_01	49

난죽석도 10곡병(Ⅶ)_03	50
난죽석도 10곡병(Ⅶ)_05	51
난죽석도 10곡병(Ⅶ)_07	52
난죽석도 10곡병(Ⅶ)_09	53
묵란	59
사군자 10곡병_01	54
사군자 10곡병_03	55
사군자 10곡병_05	56
사군자 10곡병_07	57
사군자 10곡병_09	58

【대나무(竹)】

난죽석도 10곡병(Ⅰ)_02	71
난죽석도 10곡병(Ⅰ)_04	72
난죽석도 10곡병(Ⅰ)_06	73
난죽석도 10곡병(Ⅰ)_08	74
난죽석도 10곡병(Ⅰ)_10	75
난죽석도 10곡병(Ⅱ)_02	84
난죽석도 10곡병(Ⅱ)_04	85
난죽석도 10곡병(Ⅱ)_06	86
난죽석도 10곡병(Ⅱ)_07	87
난죽석도 10곡병(Ⅱ)_08	88
난죽석도 10곡병(Ⅱ)_10	89
난죽석도 10곡병(Ⅲ)_02	91
난죽석도 10곡병(Ⅲ)_04	92
난죽석도 10곡병(Ⅲ)_06	93
난죽석도 10곡병(Ⅲ)_08	94
난죽석도 10곡병(Ⅲ)_09	95
난죽석도 10곡병(Ⅳ)_01	106
난죽석도 10곡병(Ⅳ)_03	107
난죽석도 10곡병(Ⅳ)_05	108
난죽석도 10곡병(Ⅳ)_07	109
난죽석도 10곡병(Ⅳ)_09	110

난죽석도 10곡병(Ⅴ)_02	111
난죽석도 10곡병(Ⅴ)_04	112
난죽석도 10곡병(Ⅴ)_05	113
난죽석도 10곡병(Ⅴ)_08	114
난죽석도 10곡병(Ⅴ)_10	115
난죽석도 10곡병(Ⅵ)_01	118
난죽석도 10곡병(Ⅵ)_03	119
난죽석도 10곡병(Ⅵ)_05	120
난죽석도 10곡병(Ⅵ)_07	121
난죽석도 10곡병(Ⅵ)_09	122
난죽석도 10곡병(Ⅶ)_02	123
난죽석도 10곡병(Ⅶ)_04	124
난죽석도 10곡병(Ⅶ)_06	125
난죽석도 10곡병(Ⅶ)_08	126
난죽석도 10곡병(Ⅶ)_10	127
묵죽(Ⅰ)	70
묵죽(Ⅱ)	90
묵죽(Ⅲ)	96
묵죽(Ⅳ)	97
묵죽(Ⅴ)	116
묵죽(Ⅵ)	117
묵죽(Ⅶ)	128
묵죽(Ⅷ)	145
묵죽(Ⅸ)	146
묵죽(Ⅹ)	147
묵죽(XI)	148
묵죽도 8곡병(Ⅰ)_01	76
묵죽도 8곡병(Ⅰ)_02	77
묵죽도 8곡병(Ⅰ)_03	78
묵죽도 8곡병(Ⅰ)_04	79
묵죽도 8곡병(Ⅰ)_05	80
묵죽도 8곡병(Ⅰ)_06	81
묵죽도 8곡병(Ⅰ)_07	82

묵죽도 8곡병(Ⅰ)_08	83
묵죽도 8곡병(Ⅱ)_01	98
묵죽도 8곡병(Ⅱ)_02	99
묵죽도 8곡병(Ⅱ)_03	100
묵죽도 8곡병(Ⅱ)_04	101
묵죽도 8곡병(Ⅱ)_05	102
묵죽도 8곡병(Ⅱ)_06	103
묵죽도 8곡병(Ⅱ)_07	104
묵죽도 8곡병(Ⅱ)_08	105
묵죽도 10곡병(Ⅰ)_01	60
묵죽도 10곡병(Ⅰ)_02	61
묵죽도 10곡병(Ⅰ)_03	62
묵죽도 10곡병(Ⅰ)_04	63
묵죽도 10곡병(Ⅰ)_05	64
묵죽도 10곡병(Ⅰ)_06	65
묵죽도 10곡병(Ⅰ)_07	66
묵죽도 10곡병(Ⅰ)_08	67
묵죽도 10곡병(Ⅰ)_09	68
묵죽도 10곡병(Ⅰ)_10	69
묵죽도 10곡병(Ⅱ)_01	129
묵죽도 10곡병(Ⅱ)_02	130
묵죽도 10곡병(Ⅱ)_03	131
묵죽도 10곡병(Ⅱ)_04	132
묵죽도 10곡병(Ⅱ)_05	133
묵죽도 10곡병(Ⅱ)_06	134
묵죽도 10곡병(Ⅱ)_07	135
묵죽도 10곡병(Ⅱ)_08	136
묵죽도 10곡병(Ⅱ)_09	137
묵죽도 10곡병(Ⅱ)_10	138
사군자 10곡병_02	139
사군자 10곡병_04	140
사군자 10곡병_06	141
사군자 10곡병_08	142

사군자 10곡병_10	143
풍죽 8곡병	144

【기타 유묵】

가구(佳句) 4곡병_01	162
가구(佳句) 4곡병_02	163
가구(佳句) 4곡병_03	164
가구(佳句) 4곡병_04	165
간찰	174
고시(古詩) 8곡병_01	166
고시(古詩) 8곡병_02	167
고시(古詩) 8곡병_03	168
고시(古詩) 8곡병_04	169
고시(古詩) 8곡병_05	170
고시(古詩) 8곡병_06	171
고시(古詩) 8곡병_07	172
고시(古詩) 8곡병_08	173
묵모란	149
취진성산	153
행서 2곡병_01	150
행서 2곡병_02	151
행서 8곡병_01	154
행서 8곡병_02	155
행서 8곡병_03	156
행서 8곡병_04	157
행서 8곡병_05	158
행서 8곡병_06	159
행서 8곡병_07	160
행서 8곡병_08	161
행서횡액	176
호운서실	152

2. 표 목차

〈해강 김규진 관련 선행연구〉 ··· 208

3. 보정 김정회 작품 소장 현황

● 전라북도 고창군이 배출한 명품 서화가 보정 김정회의 작품은 전라북도 소재 국·공립 대학박물관 및 갤러리, 미술관에 산재해있음
● 각 박물관 및 갤러리, 미술관에 소장되어 있는 보정 김정회의 작품 현황을 표로 제시하면 다음과 같음

〈전라북도 소재 박물관 보정 김정회 작품 소장 현황〉

소장처	작품명	유물번호	작품실물
국립전주박물관	金正會가 보낸 간찰	황1073	
	普亭金正會筆墨竹圖額子	황1573	
	傳普亭金正會筆楷書	황1581	
전북대학교박물관	보정 서화 (10폭 병풍)	全大5541	
	보정 김정회 서 (8폭 병풍)	全大6111	
	보정 김정회 그림 (10폭 병풍)	全大6115	

소장처	작품명	크기	작품실물
솔화랑	묵죽도 10폭 병풍	32.5x129.5	
	묵죽도	25x130	
	난죽석도 10폭 병풍	33x125.5	
	묵죽도 8폭	31x126	
	난죽석도 10폭 병풍	32.5x129.5	
	왕죽도	33x120	
	난죽도 10폭	33.5x107	

소장처	작품명	크기	작품실물
솔화랑	묵죽도	119.5x31.5	
	행서 8곡	33x108	
	풍월도(風月徒)	114x32	
	묵죽도	32x128	
	대나무 8폭	31x123	
	석죽, 석란 (2점)	32x124.5	
그림화랑	난죽석도 10곡병	32.5x129.5	
	묵죽도	119x31.5	

소장처	작품명	크기	작품실물
그림화랑	묵죽도	32 x 120	

〈전라북도 소재 미술관 보정 김정회 작품 소장 현황〉

소장처	작품명	크기	작품실물
고창군립 미술관	묵죽(墨竹) 병풍(10면)	32 x 120	
	사군자(四君子) 병풍(10면)	32.5 x 110	
	풍죽(風竹) 병풍(8면)	32.5 x 122	
	묵죽(墨竹)	102.5 x 30.5	
	묵란(墨蘭)	109 x 30.5	
	묵죽(墨竹)	129 x 33	

소장처	작품명	크기	작품실물
고창군립 미술관	묵모란(墨牡丹)	135x34.5	
	묵죽(墨竹)	125x32.5	
	묵죽(墨竹)	125x32	
	행서(行書) 병풍(2폭)	55.1x154	
	호운서실 (湖雲書室)	122x32	
	취진성산 (聚塵成山)	116x30	

《연연당문고 부록》
보정 선생 서화집

인쇄일 2020년 11월 30일
발행일 2020년 11월 30일

지은이 보정 김정회
감수 연정 김경식
간행기획 연정교육문화연구소 · 동인계
발행인 김화인
펴낸곳 도서출판 조은
편집인 김진순
주소 서울시 중구 을지로20길 12, 대성빌딩 405호
전화 (02)2273-2408
팩스 (02)2272-1391
출판등록 1995년 7월 5일 신고번호 제1995-000098호
ISBN 979-11-88146-87-1
ISBN 979-11-88146-85-7(세트)
정가 20,000원

♠ 잘못된 책은 바꾸어 드리겠습니다
♠ 이 책의 내용은 신저작권법에 의하여 국제적으로 보호받고 있습니다.
♠ 전재 및 복재를 할 수 없습니다.